Le
TRÉSOR
de
l'enfance

Le Trésor de l'enfance

GALLIMARD JEUNESSE

Coordination : Alice Liège

ISBN : 2-07-053700-5

© Gallimard Jeunesse, Paris, 2002, pour cette anthologie
Loi n° 46-956 du 16 juillet 1949
sur les publications destinées à la jeunesse
Numéro d'édition : 122705
Premier dépôt légal : septembre 2002
Dépôt légal : mai 2003
Photogravure : Mirascan
Imprimé en France par Partenaires-Livres

Illustrations de couverture (de haut en bas et de gauche à droite) :
Antoine de Saint-Exupéry, Antoon Krings, Pef, William Steig,
Tony Ross, Quentin Blake
Illustration du dos : Georg Hallensleben
Illustration page 9 (*Note aux parents*) : Quentin Blake

SOMMAIRE

À partir de 2 ans

À partir de 4 ans

À partir de 5 ans

À partir de **7** ans

À partir de 8 ans

INDICATION DE   ⏱   5 minutes   ⏱ ⏱ ⏱   20 minutes
TEMPS DE LECTURE   ⏱ ⏱   10 minutes   ⏱ ⏱ ⏱ ⏱   30 minutes

NOTE AUX PARENTS

Il y a peu de moments fondateurs de l'enfance plus précieux, plus indélébiles que ce *partage* de mots et d'images que parents et enfants peuvent accomplir autour d'un livre dans une intimité incomparable !

Ouverture sur un monde enchanté, éveil de l'imaginaire, et bien sûr de la sensibilité, du regard, de la compréhension de soi et des autres ; bienfaits du rire et de l'émotion ; fusion alchimique de la voix, du mot écrit et de l'illustration.

Avec ce volume que vous tenez entre les mains, nous voudrions vous offrir, au bout des trente premières années de Gallimard Jeunesse, un bon gros morceau de littérature pour enfants, un trésor de complicité et de souvenirs heureux pour toute la vie. Un beau livre toujours prêt à s'ouvrir, un compagnon à retrouver inlassablement.

Un seul livre bien sûr ne peut contenir tous les chefs-d'œuvre, et cette anthologie ne peut que refléter le foisonnement de génie que l'art du livre de jeunesse a inspiré. Richesse de résonnance, pérennité, éclectisme sont quelques-uns des critères qui ont présidé à cette sélection, par la force des choses trop partielle, de notre patrimoine. Un choix qui sera pour vous une invitation à bien d'autres découvertes !

« Nous lui avons tout appris du livre en ces temps où il ne savait pas lire. Nous l'avons ouvert à l'infinie diversité des choses imaginaires », dit Daniel Pennac à propos de l'enfant à qui nous lisons, dans *Comme un roman*. Nous lui donnons les mots, les images à travers lesquels comprendre et exprimer le monde.

Et voilà qu'écouter et regarder de bons livres, ça donne envie de lire ! Les enfants à qui on a lu des histoires régulièrement sont ceux qui, le plus souvent, deviennent de grands lecteurs.

Parents, grands-parents, frères et sœurs, baby-sitters... encouragez vos jeunes auditeurs à participer à la lecture. Pourquoi par exemple ne pas lire ensemble, alternativement à deux voix ? Pourquoi ne pas les encourager à *vous* lire à leur tour ?

Comme le dit tout simplement Quentin Blake, « les bons livres sont pour tous ceux qui aiment les mots et les images, quel que soit leur âge ». À vous donc de vous laisser guider dans ce *Trésor* par l'humeur, l'envie, l'opportunité, et de choisir la drôlerie ou la gravité, la férocité ou la tendresse, la grande histoire, le poème ou le tout petit conte, ou même quelques pages d'observation de la nature... À une voix, à deux voix, ou dans la connivence silencieuse de la lecture intérieure.
À vous de partager ce rite quotidien essentiel de *l'îlot de lecture*, où retrouver un univers imaginaire créé pour tous mais qui n'appartient qu'à vous.

L'éditeur

L'ÂNE TROTRO ET LA SARDINE

Bénédicte Guettier

L'ÂNE TROTRO N'AIME PAS LES SARDINES ...

PENDANT QUE PERSONNE NE LE REGARDE, IL MET LE POISSON DANS SA POCHE...

et hop !

ÇA LE REND TOUT TRISTE, L'ÂNE TROTRO. IL PLEURE ET VEUT SORTIR SON MOUCHOIR DE SA POCHE...

À LA PLACE, IL SORT UNE SARDINE...

SES COPAINS CROIENT QUE C'EST UN TOUR DE MAGIE... ET ILS APPLAUDISSENT TRÒ FORT!

BRAVO!...

UNE HISTOIRE SOMBRE...
TRÈS SOMBRE

Ruth Brown

Il était une fois un pays sombre, très sombre.
Dans ce pays, il y avait un bois sombre, très sombre.

Dans ce bois, il y avait un château sombre, très sombre.

Devant ce château, il y avait une porte sombre, très sombre.

Derrière cette porte, il y avait une salle sombre, très sombre.

Dans cette salle, il y avait un escalier sombre, très sombre.

En haut de cet escalier, il y avait un couloir sombre, très sombre.

Dans ce couloir, il y avait un rideau sombre, très sombre.

Derrière ce rideau, il y avait une chambre sombre, très sombre.

Dans cette chambre, il y avait une armoire sombre, très sombre.

Dans cette armoire, il y avait un coin sombre, très sombre.

Dans ce coin, il y avait une boîte sombre, très sombre.

Et dans cette boîte, il y avait…
UNE SOURIS !

AMÉLIE LA SOURIS

Antoon Krings

Sous le toit rapiécé du poulailler, entre vieilles pierres et bois moussus, vivait une souris qui s'appelait Amélie. Elle était si menue et si preste que personne jusqu'ici n'avait remarqué son petit manège. Dès le premier cocorico, la malicieuse attendait avec impatience que le perchoir se libère et que les poules se dispersent dans la cour pour descendre à son tour.

Elle fouillait alors le sol de ses petites mains frêles, ramassait çà et là quelques grains, un peu de pain… Puis, pressée de repartir, elle courait se glisser dans les nids, remplissait de duvet son tablier et, pfuit, au moindre bruit, ni vu ni connu, elle disparaissait sous la paille.

Parfois, plus téméraire,
elle s'aventurait dans le jardin.
Il y avait toujours une belle fleur
à regarder, une bonne odeur
à sentir. Comme en ce jour
de printemps où la nature était
d'humeur joyeuse. Le cœur léger
et les poches pleines, Amélie
rentrait chez elle sans s'imaginer
un seul instant la surprise qui
l'attendait.

Elle grimpa à l'échelle du
poulailler et là, horreur, stupeur,
découvrit avec effroi qu'une boue
épaisse tapissait les murs de son
petit logis et que ses précieuses
petites affaires en étaient tout
éclaboussées.

Elle essaya aussitôt de remettre
un peu d'ordre quand soudain,
dans un bruissement d'ailes,
une ombre passa juste au-dessus
de sa tête. Amélie poussa un cri
de frayeur et dégringola l'échelle
si rapidement qu'elle se jeta entre
les pattes du coq. Mais ce dernier
n'eut même pas le temps de s'en
offusquer : en deux bonds et trois
culbutes, la souris disparut dans
le jardin. Toute retournée, elle ne
cessait de marmonner :
– Mon Dieu, mon Dieu, mon Dieu !

grande ouverte et partagea
son toit avec les hirondelles.
Tout en rêvant à son propre
bonheur, chaque jour elle frottait,
balayait, dépoussiérait, pendant
que les maçonnes, à tire-d'aile,
à l'envi, sortaient, rentraient
et finissaient leur ouvrage.

– Eh bien, qu'est-ce qui t'arrive ?
Tu n'es pas une bête à bon Dieu !
s'exclama Madeleine
la musaraigne, qui l'épiait de
sa fenêtre depuis un moment.
– Oh ! C'est vraiment à en perdre
la tête ! s'écria Amélie. Quelqu'un
s'est amusé à couvrir de boue les
murs de ma maison. Et cet oiseau
de malheur a filé si vite que…
À ces mots, Madeleine éclata
de rire.
– Au contraire, c'est merveilleux !
Le bonheur a frappé à ta porte,
petite souris. Et il a décidé
d'y faire son nid, un nid
d'hirondelle ! Surtout laisse-le
entrer, ne le chasse pas de
chez toi.
Très excitée, Amélie rentra en
vitesse chez elle et fit ce que la
musaraigne lui avait recommandé.
Elle laissa la porte de sa maison

– Si c'est ça le bonheur, il est
bien envahissant, soupirait parfois
la souris.
Mais elle n'osait rien dire
de peur de fâcher ses hôtes,
dont le gazouillis secret annonçait
déjà un heureux événement.
Hélas, la naissance des hirondeaux
n'apporta que soucis et
tracasseries.

Les petits pépiaient si vivement
à chaque béquée et les parents
faisaient un tel remue-ménage
qu'Amélie en eut vraiment assez
et décida de quitter le poulailler.
« La première chose à faire, se
dit-elle un peu désemparée, c'est
de chercher un abri pour la nuit. »
Mais personne, pas même
la musaraigne, ne semblait disposé
à la loger. Les souris ne sont-elles
pas des voleuses ?

« C'est bien ce que je pensais. Tout
le monde se moque de moi »,
se dit Amélie en frappant
à la porte de Mireille l'abeille.
Mireille, qui n'attendait pas
de visite, butinait encore dans
son rosier en bourdonnant
fébrilement.
– Il me reste à faire celle-ci et puis
après celle-là… à moins que ce ne
soit…

Ça se passait toujours comme ça
quand il s'agissait de rentrer :
l'abeille s'attardait et butinait
jusqu'au dernier rayon du soleil.

Ce soir-là, il faisait déjà noir
lorsqu'elle rentra chez elle. Elle
allait se coucher quand soudain
elle trouva une souris dans son lit !
Mireille poussa un cri strident :
– Quelle horreur ! Une souris !
Une souris dans mon lit !

Mais, une fois remise de ses émotions, Mireille, qui préférait tout compte fait les nœuds jaunes aux couronnes dorées et le miel doré à la gelée royale, se coucha sur son tapis de mousse, et reprit dès l'aube son butinage au jardin, laissant à la souris porte-bonheur le soin de veiller sur sa petite maison.

Amélie, qui n'avait jamais mangé autant de miel, pas même en rêve, vécut ainsi chez l'abeille jusqu'au départ des hirondelles, heureuse comme une reine !

Réveillée en sursaut, Amélie se mit alors à débiter tout ce qui lui passait par la tête :
– Le bonheur a frappé à ta porte et il a décidé d'y faire son nid… un nid de souris ! N'est-ce pas merveilleux, petite reine ?
– Euh… vraiment… mais c'est ma… gnifique ! dit l'abeille en toussant nerveusement pour cacher son trouble. Jamais je ne me serais attendue à être reine si tôt.

ATTENDRE UN PETIT FRÈRE OU UNE PETITE SŒUR

Docteur Catherine Dolto
et Colline Faure-Poirée . Joëlle Boucher

Bientôt nous aurons un bébé à la maison, mes parents sont très contents.

Maintenant le ventre de maman est tout rond. Le bébé est dans une poche pleine d'eau. Son cordon ombilical le relie à son placenta.

Le placenta est comme une grosse éponge plate qui transforme tout ce que la maman mange en bonnes choses pour le bébé, c'est ainsi qu'il grandit.

Comme il a bien grandi
on le sent bouger, quand on
parle tout près du ventre
il s'approche, il aime surtout
la voix de papa.

Le bébé joue avec ses mains,
son cordon et ses pieds.
Quand on lui fait un câlin
il vient tout près.

Il y a des jours où je ne suis
pas contente que le bébé
arrive. Je crois que je ne vais
pas l'aimer, il n'y a même
pas de place pour lui ici !

C'est quand même amusant
de lui préparer une chambre.
Maman a ressorti mon petit
berceau et les habits de bébé,
j'étais vraiment toute petite
mais je ne m'en souviens pas.

Je me suis fait raconter
l'histoire de ma naissance à
moi, nous avons regardé les
photos et les films de quand
j'étais toute petite. J'étais
mignonne quand même !

Le bébé est prêt à naître,
mes grands-parents viennent
me garder.

Je me demande bien
si c'est un frère ou une sœur.

L'ALBUM D'ADÈLE

Claude Ponti

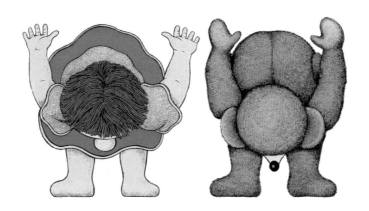

Adèle est une petite fille qui existe
réellement. Quand elle est née, elle
a poussé un cri minuscule et puis
elle a ouvert les yeux...
Cet album est pour elle.

TIGROU

Charlotte Voake

Tigrou, le chat, avait beaucoup de chance.

Il vivait avec une petite fille
qui lui préparait de
très bons repas et lui avait
donné un beau panier

où il pouvait se rouler en boule…

... et fermer
les yeux.

Ici, il dort profondément.

Mais ici, il est
BIEN RÉVEILLÉ.

Qu'est-ce que c'est que ça ?

Un chaton !

– C'est ton nouvel ami,
Tigrou. Regarde comme il est
mignon ! dit la petite fille.

Tigrou ne voulait pas de nouvel ami
et surtout pas celui-là !
Il espérait que le chaton finirait par partir,

mais il ne partait pas.

Partout où Tigrou allait, le chaton le suivait.
Il se cachait derrière les portes.

Il lui sautait sur le dos.

Il se servait même
du bol de Tigrou !

Quel vilain chaton !

Mais le pire, c'est que, chaque fois que Tigrou
s'installait dans son panier, le chaton
y grimpait aussi

et la petite fille
le laissait faire.

Alors Tigrou décida de quitter la maison.

Il sortit par la chatière et il ne revint pas.

Le chaton l'attendit un peu
puis alla se coucher
dans le panier de Tigrou.

Mais ce n'était plus pareil sans lui.

Le chaton s'amusa avec des fleurs.

Il choisit un endroit
pour se faire
les griffes.

La petite fille le trouva sur
la table en train de boire du lait.

– Oh, le vilain chaton ! s'exclama-t-elle.

– Je croyais que tu étais
avec Tigrou.
Au fait, où est-il ?
Elle regarda dans
le panier de Tigrou

mais, bien sûr, il n'y était pas.

– Il est peut-être en train de manger, dit-elle.

Mais Tigrou n'était
pas là non plus.

– J'espère qu'il n'est pas fâché, dit-elle.

– J'espère
qu'il ne s'est
pas sauvé.

Elle enfila ses bottes et sortit dans le jardin,
et c'est là qu'elle découvrit

un Tigrou trempé, triste et caché sous un buisson.

La petite fille ramena
les deux chats à la maison.
– Quel dommage que
vous ne puissiez pas
être amis, soupira-t-elle.
Elle prépara pour Tigrou
son plat préféré

et elle donna
au chaton
sa propre assiette.

Ensuite, elle déposa Tigrou dans son panier bien douillet.

La seule chose qu'elle trouva pour le chaton
fut une jolie petite boîte en carton.
Mais ça convenait très bien au chaton,
car les chats adorent les boîtes en carton
(aussi petites soient-elles).

Lorsque la petite fille retourna voir
les deux chats,

VOICI ce qu'elle vit.

Maintenant, Tigrou et le chaton coquin
sont les meilleurs amis du monde…

… presque tout le temps !

JE VEUX GRANDIR !

Tony Ross

« Il est temps que je grandisse ! » pensa la petite princesse.

« Mais comment faire ? Peut-être faut-il que je sois différente ? »

« Mais comment donc être différente ? »

« Humm, non ! Je ne crois pas que cela soit une bonne idée. Je ferais mieux de demander à Maman. »

– Maman, comment faut-il que je sois ? demanda la petite princesse.
– Sois gentille... répondit sa maman,

... comme ton papa.

– Papa, comment faut-il que je sois ? demanda la petite princesse.
– Sois affectueuse... répondit son papa,

... comme ta maman.

– Dis, comment faut-il que
je sois ? demanda la petite
princesse.
– Sois propre... répondit
le cuisinier.

– J'ai tout cela à retenir ! soupira
la petite princesse. Je dois être
gentille, affectueuse et propre.

– Dis, comment faut-il que
je sois ? demanda la petite
princesse.
– Sois courageuse... répondit
le général.

« Courageuse... pensa la petite
princesse. Ah oui ! J'ai compris,
je dois enlever les araignées
du fond de la baignoire toute
seule. »

– Dis, comment faut-il que je sois ? demanda la petite princesse.
– Sois une bonne nageuse... répondit l'amiral,

... ainsi, tu seras saine et sauve si ton bateau coule.

– Dis, comment faut-il que je sois ? demanda la petite princesse.
– Sois intelligente... répondit le Premier ministre.

– Et en bonne santé, dit le docteur.

– Oh là là ! s'écria la petite princesse... Je dois être gentille, affectueuse et propre, courageuse, bonne nageuse, intelligente et en bonne santé.

Je n'ai même pas assez de doigts pour compter tout cela. Décidément, c'est bien difficile de grandir !

– Dis, comment faut-il que je sois ? demanda la petite princesse.
– Je ne sais pas du tout, répondit la femme de chambre.

Écoute, la question la plus importante, c'est... Comment veux-tu être, TOI ?

– Je veux être...
        ... GRANDE, dit la petite princesse.

– Mais tu ES grande, dit le petit prince.

LA VÉRITABLE HISTOIRE
DES TROIS PETITS
COCHONS

Erik Blegvad

Il y avait une fois trois petits cochonnets qui s'en allèrent chercher fortune par le monde. Le premier rencontra un homme qui portait une botte de paille et il lui dit :

– Bonhomme, donne-moi cette paille pour me bâtir une maison. L'homme lui donna la paille, et le petit cochonnet se bâtit une maison avec.

Bientôt après le loup arriva,
et, frappant à la porte, il s'écria :
– Petit cochonnet, petit cochonnet,
laisse-moi entrer.
Mais le cochonnet répondit :
– Non, non, par la barbiche
de mon petit menton.

Alors le loup répliqua :
– Eh bien ! Je soufflerai,
et je gronderai, et j'écraserai
ta maison.

De sorte qu'il souffla
et qu'il gronda, et il écrasa
la maison et mangea
le premier petit cochonnet.

Le second petit cochon rencontra
un homme qui portait un fagot
d'épines, et il lui dit :
– Bonhomme, donne-moi ces
épines pour me bâtir une maison.
Le bonhomme lui donna les
épines et le petit cochon bâtit
sa maison.

Bientôt après le loup arriva
de nouveau, et il dit :
– Petit cochonnet, petit cochonnet,
laisse-moi entrer.
– Non, non, par la barbiche
de mon petit menton.
– Eh bien ! Je soufflerai, et je
gronderai, et j'écraserai ta maison.

De sorte qu'il souffla,
et il gronda, et il écrasa
la maison et mangea
le deuxième petit cochon.

Le troisième petit cochon rencontra
un homme avec un chargement
de briques, et il lui dit :
– Bonhomme, donne-moi ces
briques pour me bâtir une maison.

L'homme lui donna les briques
et il se bâtit avec une maison
bien solide.

De nouveau, le loup arriva,
et dit :
– Petit cochon, petit cochon,
laisse-moi entrer.
– Non, non, par la barbiche
de mon petit menton.

– Alors je soufflerai, et
je gronderai, et j'écraserai
ta maison.

De sorte qu'il souffla, et il gronda, et il souffla,

et souffla encore, et il gronda, et gronda encore,

mais il ne put pas écraser la maison.

À la fin, il s'arrêta et dit au cochonnet :
– Petit cochon, je sais où il y a un joli champ de navets.

– Où ça ? demanda le petit cochon.
– Là-bas, dans le champ du forgeron ; si tu es prêt demain matin, nous irons en chercher ensemble et nous en rapporterons pour notre souper.
– Bon, dit le cochonnet. À quelle heure ?
– Oh ! À six heures.

Mais le petit cochon se leva à cinq heures et courut chercher les navets, avant que le loup fût levé, et quand le loup arriva en criant :
– Petit cochon, es-tu prêt ?
Le petit cochon répondit :
– Prêt ? Il y a longtemps que je suis revenu, et les navets sont presque cuits.

Le loup fut très en colère, mais il pensa qu'il trouverait bien le moyen de venir à bout du petit cochon, et il dit seulement :

– Petit cochon, je sais où il y a
un beau pommier tout couvert
de pommes mûres.
– Où ça ? dit le cochon.
– Là-bas, dans le verger
de la cure ; et si tu veux tenir
ta parole, je viendrai te chercher
demain matin à cinq heures
pour y aller.
Le petit cochon ne dit rien, mais
il se leva à quatre heures et
courut chercher les pommes,
espérant être rentré avant
l'arrivée du loup.

Mais il lui fallut longtemps pour
grimper en haut de l'arbre,
de sorte que, juste comme
il allait descendre, il vit arriver
le loup. Celui-ci lui dit :
– Comment ! Tu es déjà là ? Est-
ce que les pommes sont mûres ?
– Certainement, dit le petit
cochon. Goûte !
Et il jeta la pomme si loin
que, pendant que le loup allait
la ramasser, le petit cochon sauta
par terre et courut à sa maison.

Le lendemain, le loup revint
de nouveau et dit :
– Petit cochon, il y a une foire
à la ville, cet après-midi.
Veux-tu venir ?
– Oh, oui ! dit le cochon.
À quelle heure ?
– À trois heures, dit le loup.

Comme d'habitude, le petit cochon partit bien avant l'heure, alla à la foire où il acheta une baratte et il était en train de la faire rouler jusque chez lui quand il vit venir le loup.

Alors il se cacha dans la baratte et la fit rouler en bas de la colline, si vite que le loup prit peur et s'enfuit chez lui.

Il alla vers la maison du cochon et lui raconta combien il avait eu peur d'une grosse chose ronde qui roulait toute seule sur la route.

Alors le petit cochon se mit à rire en disant :
– C'était moi ! Je t'ai fait peur, alors !

Sur quoi le loup fut si en colère qu'il voulut descendre par la cheminée pour manger le petit cochon.

Mais celui-ci se hâta de mettre une grande marmite d'eau sur le feu, et juste comme le loup descendait…

… il ôta le couvercle, et le loup tomba dans l'eau bouillante ! Le petit cochon remit bien vite

le couvercle et, quand le loup fut cuit, il le mangea pour son souper.

OSCAR

Kevin Henkes

Oscar avait une couverture
de flanelle jaune.
Il l'avait eue lorsqu'il était encore
un bébé.
Il l'aimait de tout son cœur.
– Flanelle va où je vais, disait Oscar.
Et c'était vrai.
Au premier, au rez-de-chaussée,
dans l'escalier.

Dedans, dehors, la tête en bas.

– Flanelle aime ce que j'aime, disait Oscar.
Et c'était vrai.
Jus d'orange, jus de raisin, chocolat chaud.
Glace à la fraise, beurre de cacahuètes, abricots.

– N'a-t-il pas passé l'âge de traîner cette chose partout ? demanda Madame Rasoir.
N'avez-vous jamais entendu parler de la Fée des Couvertures ?
Les parents d'Oscar n'en avaient jamais entendu parler.
Madame Rasoir les éclaira sur le sujet.

Ce soir-là, les parents d'Oscar lui demandèrent de glisser Flanelle sous son oreiller.
Durant la nuit, Flanelle disparaîtrait, mais la Fée des Couvertures déposerait à la place un merveilleux, un fantastique, un extraordinairement génial cadeau de grand garçon.

Oscar fourra Flanelle dans son pantalon
de pyjama, et il alla se coucher.

– Pas de Fée des Couvertures !
dit Oscar le lendemain matin.
– Pas possible ! s'étonna la mère
d'Oscar.
– Pas étonnant ! s'exclama
le père d'Oscar.

– Flanelle est sale ! disait la mère d'Oscar.
– Flanelle est déchirée et dégoûtante ! disait le père d'Oscar.
– Non, Flanelle est parfaite, répliquait Oscar.
Et c'était vrai.

Flanelle jouait au pirate des mers du Sud avec Oscar.

Oscar pouvait se rendre invisible grâce à Flanelle.

Et Flanelle devenait indispensable quand il fallait se faire couper les ongles ou les cheveux, ou aller chez le dentiste.

– On ne peut pas rester un bébé toute sa vie, dit Madame Rasoir. N'avez-vous jamais entendu parler du truc du vinaigre ?
Les parents d'Oscar n'en avaient jamais entendu parler.
Madame Rasoir les éclaira sur le sujet.

Pendant qu'Oscar regardait ailleurs, son père plongea discrètement un coin de Flanelle – le coin préféré d'Oscar – dans une jarre de vinaigre. Oscar le renifla et le sentit et le renifla.
Il choisit un nouveau coin préféré.

Puis il frotta longuement le coin malodorant dans son bac à sable, il l'enfouit dans le jardin et il le déterra.
– Il est comme neuf !
dit Oscar.

La flanelle de Flanelle avait perdu de sa douceur pelucheuse, mais Oscar s'en moquait.

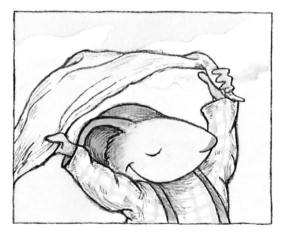

Il l'agitait.

Et il la portait.

Et il la traînait.

Il la suçotait.
Et il la câlinait.
Et il la tortillait.

– Qu'allons-nous faire ?
s'inquiétèrent les parents
d'Oscar.
– C'est bientôt la rentrée des
classes, dit le père d'Oscar.
– On ne peut pas emmener
de couverture à l'école,
dit Madame Rasoir. N'avez-
vous jamais entendu parler
du « non, c'est non » ?

Les parents d'Oscar n'en avaient jamais entendu parler.
Madame Rasoir les éclaira sur le sujet.

– Je *dois* emmener Flanelle
à l'école, dit Oscar.
– Non, c'est non, dit la mère
d'Oscar.
– Non, c'est non, dit le père
d'Oscar.
Oscar plongea son visage dans
Flanelle.
Il commença à pleurer et ne
voulut plus s'arrêter.

– Ne t'inquiète pas,
dit la mère d'Oscar.
– Tout ira bien, dit le père
d'Oscar.
Et brusquement, la mère
d'Oscar s'exclama :
– J'ai une idée !
C'était une merveilleuse,
une fantastique,
une extraordinairement
géniale idée.

D'abord elle coupa.
Puis elle cousit.
Puis elle recoupa
et cousit encore.

Coupe, coupe, coupe,
couds, couds, couds.
Sèche tes yeux.
Essuie ton nez.
Hip, hip, hip, hourra !

Maintenant, partout où il va, Oscar emporte
toujours l'un de ses mouchoirs de flanelle…

Et Madame Rasoir n'a plus rien à redire.

JEAN DE LA LUNE

Claudine et Roland Sabatier

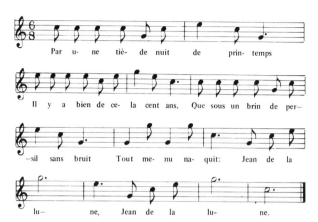

Par u- ne tiè- de nuit de prin- temps

Il y a bien de ce- la cent ans, Que sous un brin de per—

—sil sans bruit Tout me- nu na- quit : Jean de la

lu— ne, Jean de la lu— ne.

Par une tiède nuit de printemps
Il y a bien de cela cent ans,
Que sous un brin de persil sans bruit
Tout menu naquit :
Jean de la Lune, Jean de la Lune.

Il était gros comme un champignon
Frêle, délicat, petit, mignon,
Et jaune et vert comme un perroquet
Avait bon caquet :
Jean de la Lune, Jean de la Lune.

Quand il se risquait à travers bois
De loin, de près, de tous les endroits,
Merles, bouvreuils sur leurs mirlitons
Répétaient en rond :
Jean de la Lune, Jean de la Lune.

Quand il mourut, chacun le pleura
Dans son potiron on l'enterra,
Et sur sa tombe l'on écrivit
Sur la croix : Ci-gît
Jean de la Lune, Jean de la Lune.

Chanson-conte qui fait appel à un des procédés du merveilleux : la miniaturisation, comme dans les *Voyages de Gulliver*. Elle date certainement de la fin du XVIIIe siècle, début du XIXe siècle.

UNE SOURIS VERTE

Claudine et Roland Sabatier

U- ne sou- ris ver- te Qui cou- rait dans l'her- be.

Je l'at- tra- pe par la queue, Je la montre à ces mes- sieurs.

Ces mes- sieurs me di- sent: Trem- pez- la dans l'hui- le,

Trem- pez- la dans l'eau, Ça fe- ra un es- car- got Tout

chaud. Je la mets dans un ti- roir, Ell' me dit: Il fait trop

noir. Je la mets dans mon cha- peau, Ell' me dit: Il fait trop chaud.

Une souris verte
Qui courait dans l'herbe.
Je l'attrape par la queue,
Je la montre à ces messieurs.
Ces messieurs me disent :
Trempez-la dans l'huile,
Trempez-la dans l'eau,
Ça fera un escargot
Tout chaud.
Je la mets dans un tiroir,
Ell'me dit : Il fait trop noir.
Je la mets dans mon chapeau,
Ell'me dit : Il fait trop chaud.

L'origine de cette comptine connue dans toutes les régions de France et dans certains pays francophones est anonyme. Elle semble cependant remonter à la fin du XVIIe ou au début du XVIIIe siècle.

LE GARÇON QUI CRIAIT :
« AU LOUP ! »

Tony Ross

Il était une fois un garçon qui vivait de ce côté-ci des montagnes.
Il s'appelait Louis.

De l'autre côté des montagnes, un loup menait une vie de luxe incroyable. Son nom à lui, personne ne le connaissait.

Le loup était très bon chic, bon genre (pour un loup, bien sûr). Parfois il enfilait son habit…

et s'en allait dîner par-delà les montagnes… car il aimait surtout manger les gens.

Alors, tout le monde, de ce côté-ci des montagnes, avait très peur de lui.
C'est pourquoi…

chaque fois que Louis n'avait pas envie de faire quelque chose, prendre son bain par exemple…

il criait : « Au loup ! » (même s'il n'y avait pas de loup dans les parages). Et comme les gens avaient peur du loup…

Louis se retrouvait tout seul, et faisait ce qu'il voulait.

Une fois par semaine, Louis
prenait sa leçon de violon.
Il n'aimait pas cela du tout…

alors il criait : « Au loup ! »
(même sans l'ombre d'un loup
évidemment).

Tout le monde s'enfuyait, et
Louis jouait la musique qu'il
aimait.

De temps en temps, il criait :
« Au loup ! » tout simplement
pour s'amuser.

Un jour que Louis faisait un tour dans la montagne, le loup bondit de derrière un rocher.

– AU LOUP ! hurla Louis.
Et il se mit à courir vers le village en criant :
– Au loup ! Au loup !

Mais sa grand-mère ne le crut pas.
– Tu racontes tout le temps la même chose ! Change un peu de refrain ! dit-elle.

– Au loup ! criait toujours Louis.
Mais personne ne l'écoutait.

– SAUVEZ-MOI DU LOUP !
hurlait le pauvre garçon.
Tout le monde riait.
– Tu te moques encore de nous,
mais aujourd'hui, cela ne prend
plus ! lui dirent les grandes
personnes.

Le loup avait rattrapé Louis.
Mais les grandes personnes
lui dirent sévèrement :
– Cela t'apprendra à dire
des mensonges !

À ces mots, le loup eut une idée :
il décida de laisser Louis
tranquille…

et de manger les grandes
personnes.

Ensuite…

il eut une autre idée, il dégusta Louis pour son dessert !
Que voulez-vous, c'est la vie !

DIX PETITES GRAINES

Ruth Brown

Dix graines, une fourmi.

Neuf graines, un pigeon.

Huit graines, une souris.

Sept pousses, une limace.

Six pousses, une taupe.

Cinq plants, un chat.

Quatre jeunes plantes, une balle.

Trois grandes plantes, un petit chien.

Deux boutons, beaucoup trop de pucerons.

Une fleur, une abeille…

Dix graines !

LA REINE BISOUBISOU

Alex Sanders

La Reine BisouBisou avait un adorable petit château, tout mignon, tout joli, dans sa bulle de cristal. Pour entrer dans ce ravissant petit palais, il fallait prononcer des mots magiques : il fallait murmurer des mots d'amour. Alors s'ouvraient les portes du Château des Amourettes. Celui que tout le monde adorait.

Il n'y avait pas de soldats dans ce joli château. Simplement quelques galants serviteurs et de gentils courtisans ; les cuisiniers cuisinaient avec amour et les serviteurs servaient de bon cœur. Ils étaient tous éperdument amoureux de la Reine BisouBisou, et la reine les aimait chacun tout autant.

La Reine BisouBisou était tout
le temps amoureuse. Le matin,
elle aimait Son Altesse le Roi DoDo
et à midi c'en était fini. Entre-temps
elle s'était éprise du Roi BoumBoum
ou de Sa Majesté le Roi MiamMiam.
Sans cesse son cœur balançait entre
l'un ou l'autre de ces galants
souverains. Mais un jour, pour
la reine, il n'y en eut plus qu'un :
c'était le Roi ZinZin.

Elle le trouvait si différent.
– Il a ce petit rien de plus…
se pâmait-elle. Ce merveilleux
petit grain qui le rend tellement
attirant…
Et le soir, après que tous les gens
du palais étaient venus déposer
sur le bout de son nez un doux
bisou…

… la Reine BisouBisou s'en
allait sur la pointe des pieds
faire le sien au bon Roi ZinZin.
Elle en était tellement amoureuse !

Mais elle n'osait pas l'approcher.
Elle le suivait pourtant nuit et jour :
elle voulait tout savoir sur lui.
Elle ne se demandait même pas
pourquoi elle aimait tant un roi
qui partait acheter cinquante
débouche-évier à quatre heures
du matin.

La Reine BisouBisou était un peu aveuglée par son amour.
Elle n'avait pas vu que le Roi ZinZin était véritablement le Roi des Dingos, de loin le plus cinglé : lorsque la Reine BisouBisou venait sous ses fenêtres chantonner des mélodies d'amour…

… le Roi ZinZin se cachait chez lui, tout tremblant de peur : il croyait que la reine voulait le manger, ou bien qu'elle était une sorcière et qu'elle voulait le changer en crapaud. Pire encore, il croyait qu'elle venait lui apprendre à chanter. Et le Roi ZinZin détestait apprendre : il savait déjà tout.

Mais un jour, la Reine BisouBisou osa pénétrer dans le Château Goulba-Goulba, et elle courut après le Roi ZinZin pour lui faire des bisous, bien sûr, « plein de bisous ».
Le Roi ZinZin s'échappait, bondissait, hurlait. Il pleurait, riait, il avait tellement peur d'être embrassé. C'est alors qu'il aperçut les petits cœurs que laissaient par-ci par-là les baisers de la reine.

Ces baisers plaisaient beaucoup
au Roi ZinZin. Il aimait bien
les bisous, tout d'un coup.
Il en voulait même partout.
– Je me sens tout léger,
chantait-il. Je crois que je vais
m'envoler…

Il était amoureux lui aussi.
Le soir, à son tour, il venait lui
faire la sérénade et entonnait
à tue-tête sa chanson préférée :

> « CuiCui GouGou BiBi !
> ZouZou Chmik Chmak
> Chmok !
> Blik Blik Brok Brok !
> ZibouZibou ! »

Ainsi, toutes les nuits, il venait
avec cette magnifique chanson
charmer la Reine « ZibouZibou ».
C'était comme ça qu'il l'appelait.

La Reine BisouBisou venait
vite le rejoindre ; elle lui faisait
un gros bisou sur la bouche,
un peu pour qu'il arrête de
chanter, mais surtout parce
qu'elle l'adorait, son Roi
ZinZin.

TOUT À COUP !

Colin McNaughton

Un jour, Samson revenait de l'école quand **tout à coup !**

Samson se souvint : sa maman lui avait demandé de faire
les commissions.

Samson poussait son chariot quand **tout à coup** !

il sortit vite du magasin.
Il avait oublié l'argent
des commissions dans
son casier, à l'école.

Quel étourdi !

Samson prit l'argent
dans son casier.
Il quittait l'école quand

tout à coup !

Samson décida de sortir par la porte de derrière.

Sur le chemin du supermarché, Samson s'arrêta dans le parc pour jouer quand **tout à coup**!

Bébert le bulldozer
le bouscula pour glisser
sur le toboggan.

Samson descendit de l'échelle et retourna faire les commissions.
Il sortait du supermarché quand **tout à coup** !

Monsieur Bouchon, le caissier, rappela Samson : il avait oublié
sa monnaie.

Enfin Samson arriva
chez lui.
— Maman, dit-il, j'ai eu
l'étrange impression que
quelqu'un me suivait...

Quand **tout à coup** !

la maman de Samson se retourna
et lui fit un énorme
câlin !

L'ŒUF

René Mettler

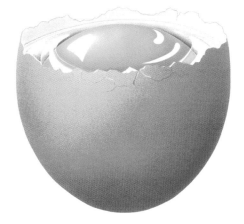

Tiens, c'est un œuf !

Il contient du blanc
et, au milieu, du jaune.

Ce sont les poules
qui pondent les œufs.

L'œuf se fabrique
dans le ventre de la poule.

Il faut un coq
et une poule pour
qu'il y ait un poussin
dans l'œuf.

La poule se pose sur les œufs
pour les garder bien au chaud : elle couve,
les poussins se forment dans la coquille.

La poule doit couver
pendant plusieurs jours.

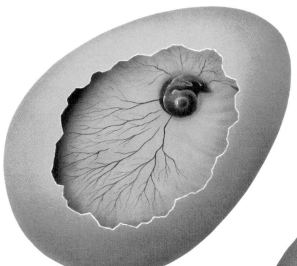

Au bout
de deux jours, il y a
déjà un minuscule
poussin.

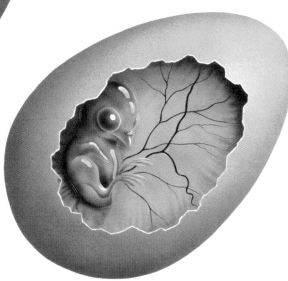

Il grandit vite :
il est bientôt prêt
à naître.

Attention !
La coquille se fend.

Le poussin la casse
avec son bec.

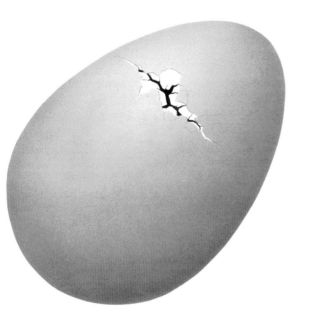

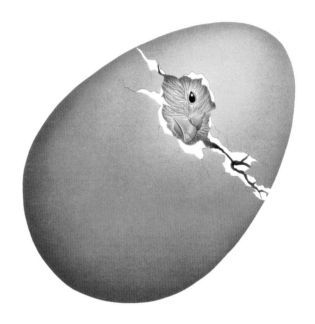

Le poussin est né !
Très vite, il sait manger
et marcher tout seul.

Le poussin va rejoindre
ses compagnons de la basse-cour.

Les canards

Le dindon

Les pigeons

Les femelles
pondent des œufs
et les couvent
comme la poule.

La pintade

L'oie et ses petits

L'hirondelle

Le rouge-gorge

Le corbeau

Le merle

La chouette

Les oiseaux aussi pondent
des œufs, de toutes tailles
et de toutes couleurs.

L'œuf de l'autruche est presque
aussi grand que ce livre.

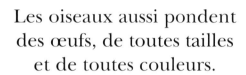

L'autruche

Les œufs
de la couleuvre
sont allongés et collants.

La tortue
enfouit ses œufs.
Elle ne les couve pas.

Sais-tu que les reptiles pondent des œufs ?

Leurs coquilles ne sont
pas toujours dures.

À la naissance,
les petits crocodiles
ont la taille d'un lézard.

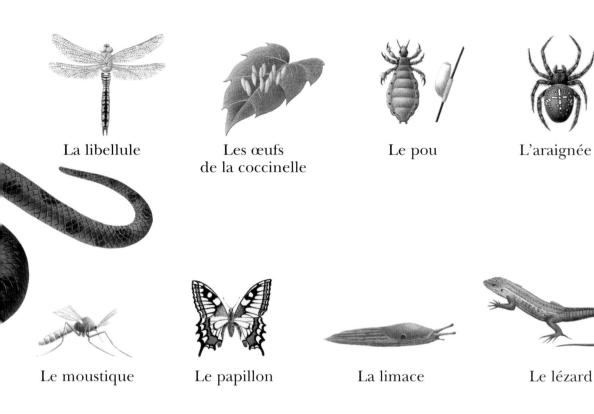

La libellule

Les œufs
de la coccinelle

Le pou

L'araignée

Le moustique

Le papillon

La limace

Le lézard

Les fourmis

Beaucoup d'autres animaux
pondent des œufs.

La grenouille

L'escargot pond
ses œufs dans un trou.

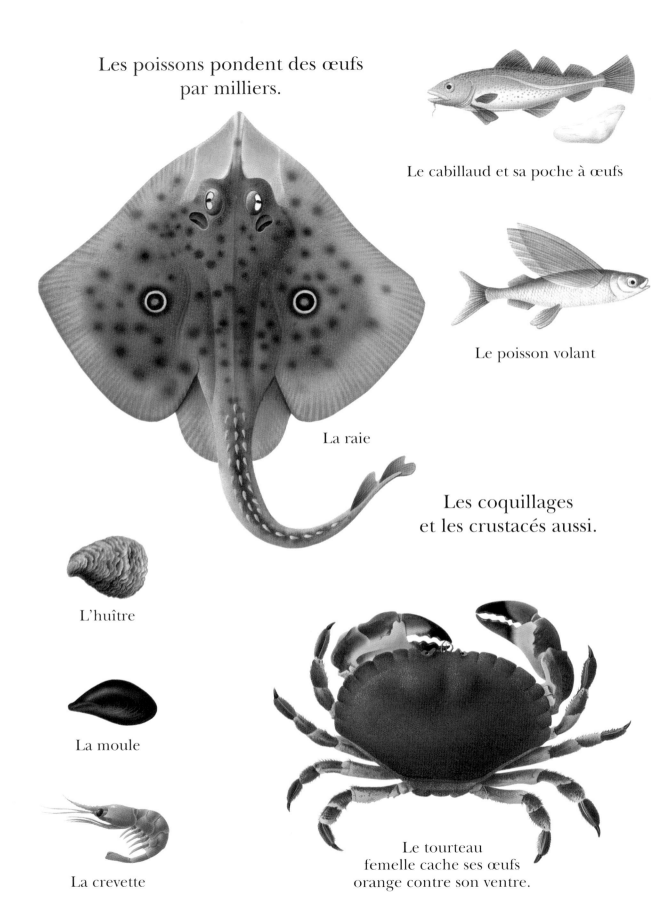

Les poissons pondent des œufs
par milliers.

Le cabillaud et sa poche à œufs

Le poisson volant

La raie

Les coquillages
et les crustacés aussi.

L'huître

La moule

La crevette

Le tourteau
femelle cache ses œufs
orange contre son ventre.

Œufs sur le plat

Œufs de lump

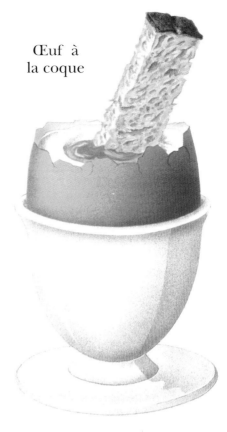

Œuf à la coque

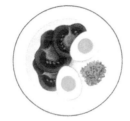

Œufs de saumon

Œufs durs

Lesquels préfères-tu ?

Et comment sont
les œufs de Pâques ?

En chocolat !

LE CHAT BOTTÉ

Charles Perrault . Fred Marcellino

Un meunier ne laissa pour tous biens à trois enfants qu'il avait que son moulin, son âne et son chat. Les partages furent bientôt faits ; ni le notaire, ni le procureur n'y furent point appelés. Ils auraient eu bientôt mangé tout le patrimoine. L'aîné eut le moulin, le second eut l'âne, et le plus jeune n'eut que le chat.

Ce dernier ne pouvait se consoler d'avoir un si pauvre lot :
– Mes frères, disait-il, pourront gagner leur vie honnêtement en

se mettant ensemble ; pour moi, lorsque j'aurai mangé mon chat,
et que je me serai fait un manchon de sa peau, il faudra que
je meure de faim.

Le Chat qui entendait ce discours, mais qui n'en fit pas semblant,
lui dit d'un air posé et sérieux :

– Ne vous affligez point, mon maître, vous n'avez qu'à me donner
un sac, et me faire faire une paire de bottes pour aller dans les
broussailles, et vous verrez que vous n'êtes pas si mal partagé que
vous croyez.

Quoique le maître du Chat ne fit pas grand fond là-dessus, il lui
avait vu faire tant de tours de souplesse, pour prendre des rats
et des souris, comme quand il se pendait par les pieds, ou qu'il
se cachait dans la farine pour faire le mort, qu'il ne désespéra pas
d'en être secouru dans sa misère.

Lorsque le Chat eut ce qu'il avait demandé, il se botta bravement
et, mettant son sac à son cou, il en prit les cordons avec ses deux
pattes de devant, et s'en alla dans une garenne où il y avait grand
nombre de lapins. Il mit du son et des lasserons dans son sac et,
s'étendant comme s'il eut été mort, il attendit que quelque jeune
lapin, peu instruit encore des ruses de ce monde, vînt se fourrer
dans son sac pour manger ce qu'il y avait mis.

À peine fut-il couché, qu'il eut contentement ; un jeune étourdi
de lapin entra dans son sac, et le maître Chat tirant aussitôt les
cordons le prit et le tua sans miséricorde.

Tout glorieux de sa proie, il s'en alla chez le Roi et demanda à lui
parler. On le fit monter à l'appartement de Sa Majesté, où, étant

entré, il fit une grande révérence au Roi, et lui dit :
– Voilà, Sire, un lapin de garenne que Monsieur le Marquis

de Carabas (c'était le nom qu'il lui prit en gré de donner à son maître) m'a chargé de vous présenter de sa part.

– Dis à ton maître, répondit le Roi, que je le remercie, et qu'il me fait plaisir. Une autre fois, il alla se cacher dans un blé, tenant toujours son sac ouvert ; et lorsque deux perdrix y furent entrées, il tira les cordons, et les prit toutes deux. Il alla ensuite les présenter au Roi, comme il avait fait du lapin de garenne. Le Roi reçut encore avec plaisir les deux perdrix, et lui fit donner pour boire. Le Chat continua ainsi pendant deux ou trois mois à porter de temps en temps au Roi du gibier de la chasse de son maître.

Un jour qu'il sut que le Roi devait aller à la promenade sur le bord de la rivière avec sa fille, la plus belle Princesse du monde, il dit à son maître :

– Si vous voulez suivre mon conseil, votre fortune est faite : vous n'avez qu'à vous baigner dans la rivière à l'endroit que je vous montrerai, et ensuite me laisser faire.

Le Marquis de Carabas fit ce que son Chat lui conseillait, sans savoir à quoi cela serait bon. Dans le temps qu'il se baignait, le Roi vint à passer, et le Chat se mit à crier de toute sa force :

– Au secours, au secours, voilà Monsieur le Marquis de Carabas
qui se noie !

À ce cri le Roi mit la tête à la portière et, reconnaissant le Chat qui lui avait apporté tant de fois du gibier, il ordonna à ses gardes qu'on allât vite au secours de Monsieur le Marquis de Carabas. Pendant qu'on retirait le pauvre Marquis de la rivière, le Chat s'approcha du carrosse, et dit au Roi que, dans le temps que son maître se baignait, il était venu des voleurs qui avaient emporté ses habits, quoiqu'il eût crié au voleur de toute sa force ; le drôle

les avait cachés sous une grosse pierre. Le Roi ordonna aussitôt aux officiers de sa Garde-robe d'aller quérir un de ses plus beaux habits pour Monsieur le Marquis de Carabas.

Le Roi lui fit mille caresses et, comme les plus beaux habits qu'on venait de lui donner relevaient sa bonne mine (car il était beau, et bien fait de sa personne), la fille du Roi le trouva fort à son gré, et le Marquis de Carabas ne lui eut pas jeté deux regards fort respectueux, et un peu tendres, qu'elle en devint amoureuse à la folie.

Le Roi voulut qu'il montât dans son carrosse, et qu'il fût de la promenade.

Le Chat, ravi de voir que son dessein commençait à réussir, prit les devants et, ayant rencontré des paysans qui fauchaient un pré, il leur dit :

– Bonnes gens qui fauchez, si vous ne dites au Roi que le pré que vous fauchez appartient à Monsieur le Marquis de Carabas, vous serez tous hachés menu comme chair à pâté.

Le Roi ne manqua pas de demander aux faucheux à qui était ce pré qu'ils fauchaient.

– C'est à Monsieur le Marquis de Carabas, dirent-ils tous ensemble,

car la menace du Chat leur avait fait peur.

– Vous avez là un bel héritage, dit le Roi au Marquis de Carabas.

– Vous voyez Sire, répondit le Marquis, c'est un pré qui ne manque point de rapporter abondamment toutes les années.

Le maître Chat, qui allait toujours devant, rencontra des moissonneurs, et leur dit :

– Bonnes gens qui moissonnez, si vous ne dites que tous ces blés appartiennent à Monsieur le Marquis de Carabas, vous serez tous hachés menu comme chair à pâté.

Le Roi, qui passa un moment après, voulut savoir à qui appartenaient tous les blés qu'il voyait.
– C'est à Monsieur le Marquis de Carabas, répondirent les moissonneurs, et le Roi s'en réjouit encore avec le Marquis. Le Chat, qui allait devant le carrosse, disait toujours la même chose à tous ceux qu'il rencontrait ; et le Roi était étonné des grands biens de Monsieur le Marquis de Carabas.

Le maître Chat arriva enfin dans un beau château dont le maître était un Ogre, le plus riche qu'on ait jamais vu, car toutes

les terres par où le Roi avait passé étaient de la dépendance de ce château. Le Chat, qui eut soin de s'informer qui était cet Ogre,

et ce qu'il savait faire, demanda à lui parler, disant qu'il n'avait pas voulu passer si près de son château, sans avoir l'honneur de lui faire la révérence. L'Ogre le reçut aussi civilement que le peut un Ogre, et le fit reposer.

– On m'a assuré, dit le Chat, que vous aviez le don de vous changer en toutes sortes d'animaux, que vous pouviez par exemple vous transformer en lion, en éléphant ?

– Cela est vrai, répondit l'Ogre brusquement, et pour vous le montrer, vous m'allez voir devenir un lion.

Le Chat fut si effrayé de voir un lion devant lui, qu'il gagna aussitôt les gouttières, non sans peine et sans péril, à cause de ses bottes qui ne valaient rien pour marcher sur les tuiles.

Quelque temps après, le Chat, ayant vu que l'Ogre avait quitté sa première forme, descendit, et avoua qu'il avait eu bien peur.

– On m'a assuré encore, dit le Chat, mais je ne saurais le croire, que vous aviez aussi le pouvoir de prendre la forme des plus petits animaux, par exemple, de vous changer en un rat, en une souris ; je vous avoue que je tiens cela tout à fait impossible.

– Impossible ? reprit l'Ogre, vous allez voir, et en même temps il se changea en une souris, qui se mit à courir sur le plancher.

Le Chat ne l'eut pas plus tôt aperçue qu'il se jeta dessus,
et la mangea.

Cependant le Roi, qui vit en passant le beau château de l'Ogre,
voulut entrer dedans. Le Chat, qui entendit le bruit du carrosse
qui passait sur le pont-levis, courut au-devant, et dit au Roi :

– Votre Majesté soit la bienvenue dans le château de Monsieur
le Marquis de Carabas.

– Comment, Monsieur le Marquis, s'écria le Roi, ce château est
encore à vous ! Il ne se peut rien de plus beau que cette cour
et que tous ces bâtiments qui l'environnent ; voyons les dedans,
s'il vous plaît.

Le Marquis donna la main à la jeune Princesse et, suivant
le Roi qui montait le premier, ils entrèrent dans une grande salle

où ils trouvèrent une magnifique collation que l'Ogre avait fait préparer pour ses amis qui le devaient venir voir ce même jour-là, mais qui n'avaient pas osé entrer, sachant que le Roi y était.

Le Roi, charmé des bonnes qualités de Monsieur le Marquis de Carabas, de même que sa fille qui en était folle, et voyant les grands biens qu'il possédait, lui dit, après avoir bu cinq ou six coups :

– Il ne tiendra qu'à vous, Monsieur le Marquis, que vous ne soyez mon gendre.

Le Marquis, faisant de grandes révérences, accepta l'honneur que lui faisait le Roi ; et dès le même jour épousa la Princesse. Le Chat devint grand Seigneur, et ne courut plus après les souris, que pour se divertir.

LES BIZARDOS

Janet et Allan Ahlberg

Voici le début d'une drôle d'histoire.
Sur une sombre, sombre colline
se dressait une sombre, sombre ville.
Dans la sombre, sombre ville
serpentait une sombre, sombre rue.
Dans la sombre, sombre rue
s'élevait une sombre, sombre maison.
Dans la sombre, sombre maison
il y avait un sombre, sombre escalier.
Au pied de ce sombre, sombre escalier
se trouvait une sombre, sombre cave.
Et dans cette sombre, sombre cave…

… vivaient quelques squelettes.

Il y avait un grand squelette,
un petit squelette
et un squelette-chien.

QU'ALLONS-NOUS FAIRE CETTE NUIT ?

SI NOUS PROMENIONS LE CHIEN ?

Une nuit, le grand squelette
se dressa dans son lit. Il se gratta
le crâne.
– Qu'allons-nous faire cette nuit ?
dit-il.
– Allons promener le chien !
proposa le petit squelette.

– Et faisons peur
aux gens !
– Bonne idée ! conclut
le grand squelette.

Alors
le grand squelette
et le petit squelette,
suivis du squelette-chien,
quittèrent la sombre,
sombre cave,
grimpèrent le sombre,
sombre escalier
et se retrouvèrent

dans la sombre,
sombre rue.

Ils longèrent des maisons
et des boutiques.
Ils longèrent le zoo
et le commissariat
de police et pénétrèrent
dans le parc.

Le grand squelette se gratta le crâne.
– Qu'allons-nous faire maintenant ? dit-il.
– Allons faire de la balançoire !
dit le petit squelette.
– Lançons un bâton au chien et faisons peur aux gens !
– Bonne idée ! reprit le grand squelette.

Alors le grand squelette et le petit squelette,
suivis du squelette-chien,
firent le tour du sombre, sombre lac,
longèrent les sombres, sombres buissons
et se dirigèrent vers les sombres,
sombres balançoires.

Le grand squelette et le petit squelette se balancèrent avec entrain.

Et ils jetèrent un bâton au chien. Mais soudain, il se passa quelque chose. Le squelette-chien poursuivant le bâton trébucha contre un banc, se cogna contre un arbre…

… et se ratatina en un petit tas d'os !

– Regarde un peu ! dit le grand squelette. Il est en morceaux. Qu'allons-nous faire maintenant ?
– Remontons-le ! dit le petit squelette.
Alors le grand squelette et le petit squelette remontèrent le squelette-chien en chantant. Mais ils mélangèrent tout.

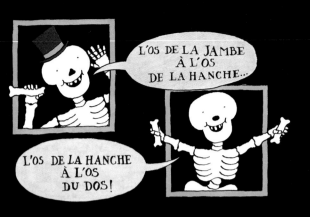

– Serait-ce un os du doigt
de pied ? dit le petit squelette.
– Où va donc celui-là ?
dit le grand squelette.

Quand ils eurent terminé,
le grand squelette remarqua :
– Ce chien me semble bizarre.
– En effet ! dit le petit squelette.
– Nous avons accroché la queue
au mauvais bout, et la tête aussi.
– Hauo ! dit le squelette-chien.

Enfin, le chien fut correctement
remonté. Le grand squelette et
le petit squelette se mirent à chanter
de joie. Le grand squelette
se gratta le crâne.
– Cela me rappelle quelque
chose : nous avons oublié de faire
peur aux gens !
– Alors, faisons-le en rentrant à
la maison ! proposa le petit squelette.
– Bonne idée ! dit le grand
squelette.

Alors le grand squelette,
le petit squelette et le squelette-chien
quittèrent les sombres,
sombres balançoires et s'enfoncèrent
dans la sombre, sombre ville
en quête de quelqu'un à effrayer.

Mais il n'y avait personne.
Tout le monde était
au lit.
Même le policier
du poste de police
dormait paisiblement.
Et même les animaux
du zoo !
Mais bien sûr,
les animaux squelettes,
eux, étaient éveillés.

– Faisons un tour sur le squelette-
éléphant ! dit le petit squelette.
– Ou bavardons avec le squelette-
perroquet.
Le grand squelette se gratta le crâne.
– Et si… nous nous sauvions !
Voilà le squelette-crocodile ! dit-il.

De retour dans la rue,
ne trouvant personne
à effrayer, le grand
squelette demanda :
– Qu'allons-nous faire
maintenant ?

Le petit squelette gratta son crâne.
– Jouons à nous faire un peu peur,
c'est mieux que rien !
– Bonne idée ! dit
le grand squelette.

Alors le grand squelette
fit peur au petit squelette.
Et le petit squelette
fit peur au grand squelette.

Et le grand squelette et le petit
squelette firent peur au
squelette-chien.
Et le squelette-chien fit peur
à tous deux.

Ils se cachèrent dans des coins sombres et ils se firent rudement peur.
Ils grimpèrent aux becs de gaz et ils se firent rudement peur.
Ils se fourrèrent dans des poubelles et ils se firent rudement peur…

… tout en rentrant chez eux.

Et voici la fin de l'histoire.
Sur une sombre, sombre colline se dressait une sombre, sombre ville.
Dans la sombre, sombre ville serpentait une sombre, sombre rue.
Dans la sombre, sombre rue s'élevait une sombre, sombre maison.
Dans la sombre, sombre maison il y avait un sombre, sombre escalier.
Au pied du sombre, sombre escalier se trouvait une sombre, sombre cave.
Et dans cette sombre, sombre cave vivaient quelques squelettes.

Et ils y vivent encore.

CHUT, CHUT, CHARLOTTE !

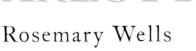

Rosemary Wells

Bruno, le petit dernier,
Mange toujours le premier !

Et Cathie, qui est l'aînée,
Passe son temps à jouer !

Et Charlotte, pendant ce temps ?
Pendant ce temps, Charlotte attend.

Ah, puisque c'est comme ça,
On va faire attention à moi !

Et vlan ! La porte claque.
Charlotte passe à l'attaque !

Elle hurle, crie, piétine,
Jette des billes dans la cuisine.

Papa et maman chuchotent : Chut, chut, Charlotte !
Et la grande Cathie s'écrie : Charlotte, que tu es sotte !

Bruno prend des bains
Du soir au matin.

Cathie prépare des gâteaux,
Des brioches,
Des croissants chauds.

Papa frotte et ravigote
Le petit Bruno
Qui grelotte.

Charlotte attaque
Un lampadaire,
Les chaises valsent
Par terre.

Papa et maman chuchotent : Chut, chut, Charlotte !
Et la grande Cathie s'écrie : Charlotte, que tu es sotte !

Le cerf-volant du bébé dégringole dans l'escalier.
Et Charlotte, pendant ce temps ?
Pendant ce temps, Charlotte attend.

Quand on est le plus petit,
On vient vous border
Tous les soirs.

Quand on est grand comme
Cathie, on vous aide
Dans vos devoirs.

Quand on n'est plus le tout-petit,
On ne vous berce plus la nuit.

Je m'en vais ! crie Charlotte.
Et je ne reviendrai jamais !

Soudain, plus de bruit,
Charlotte est partie.

Papa et maman, éperdus :
Où est-elle ?
On ne l'entend plus !

Et la grande Cathie sanglote :
Il faut retrouver Charlotte !

Du grenier à la salle de bains,
On la cherche
Dans tous les coins.

De la cave au jardin,
On l'appelle en vain.

Papa fouille la corbeille
À papier. Pourquoi pas ?
On ne sait jamais…

Un placard s'ouvre à grand fracas. Qui avait songé à chercher là ?
Charlotte surgit, amusée : Ah, ah ! J'étais bien cachée !

IL Y A UN CAUCHEMAR DANS MON PLACARD

Mercer Mayer

Autrefois, il y avait
un cauchemar dans mon placard,
aussi, avant d'aller dormir,

je fermais soigneusement
la porte.

Cependant j'avais encore peur
de me retourner et de regarder.

Quand j'avais regagné mon lit,
je jetais un dernier coup d'œil…

… pas toujours.

Une nuit, j'ai décidé de me
débarrasser, une fois pour toutes,
de mon cauchemar.

Dès que la chambre fut dans le noir, je l'entendis glisser vers moi.

J'allumai brusquement la lumière
et je le surpris assis au milieu
de mon lit.

– Va-t'en, cauchemar !
m'écriai-je, ou je tire !

De toute façon,
j'ai tiré, et
mon cauchemar
s'est mis à pleurer.

J'étais furieux…

… mais pas tellement…

– Cauchemar, lui dis-je,
tais-toi, reste tranquille,
sinon tu vas réveiller
Papa et Maman.

Comme il ne voulait
pas s'arrêter de pleurer,
je le pris par la main

et je l'installai dans le lit.

Puis, j'allai gaiement fermer
la porte du placard, avant de le rejoindre.

Je suppose qu'il y a un autre
cauchemar dans le placard,

mais mon lit est vraiment trop petit pour trois…

SI LA LUNE POUVAIT PARLER

Kate Banks . Georg Hallensleben

Une paire de chaussures sous une chaise. Une fenêtre grande ouverte.
Une dernière lueur sur le mur. Si la lune pouvait parler...

elle raconterait le soir qui se glisse dans la forêt et le lézard qui se
dépêche de rentrer dîner chez lui.

Quelqu'un chantonne doucement. Un réveil fait tic tac.
Une lampe s'allume. Si la lune pouvait parler...

elle raconterait les étoiles qui apparaissent une à une
dans le ciel et le feu qui flambe près de l'arbre.

Le papa ouvre un livre. Il tourne les pages : une histoire
s'en échappe, comme une oriflamme déployée dans le vent.
Si la lune pouvait parler...

elle raconterait le vent de sable qui souffle sur le désert
et les nomades qui s'abritent derrière une dune.

Sur une table de nuit, il y a un verre, un bateau en bois,
et aussi une étoile de mer. Si la lune pouvait parler...

elle raconterait les vagues qui déferlent sur la plage,
les coquillages, et le crabe qui somnole.

Sur une étagère, une petite musique s'élève d'une boîte.
Un mobile tourne lentement. Dans un fauteuil, un lapin écoute.
Si la lune pouvait parler...

elle raconterait le vent qui berce la cime de l'arbre
et l'oiseau à l'abri dans le nid.

Maman tend le lapin à son enfant. Elle l'embrasse et lui remonte les couvertures jusqu'au menton. Si la lune pouvait parler...

elle raconterait la tanière, dans un pays lointain,
et la lionne qui lèche ses petits.

Les yeux se ferment. Les ailes du silence s'ouvrent
dans un souffle. La nuit noire n'est plus qu'un rêve multicolore.
Et si la lune pouvait parler...

elle raconterait l'enfant qui dort à poings fermés
dans le lit douillet.

Et, tout bas, elle lui chuchoterait :

– Bonne nuit...

PIERRE LAPIN

Beatrix Potter

Il était une fois quatre petits lapins qui s'appelaient Flopsaut, Trotsaut, Queue-de-Coton et Pierre. Ils habitaient avec leur mère sur un banc de sable à l'abri des racines d'un grand sapin.

– Mes enfants, dit un jour Madame Lapin, vous pouvez vous promener dans les champs ou le long du chemin, mais n'allez pas dans le jardin de Monsieur MacGregor.

Votre père a eu un accident là-bas, Madame MacGregor en a fait un pâté.

Allez vous amuser, mais ne faites pas de bêtises. Je vais faire des courses.

Madame Lapin prit son panier et son parapluie et s'en alla, à travers bois, chez le boulanger. Elle acheta une miche de pain bis et cinq petits pains aux raisins.

Flopsaut, Trotsaut et Queue-de-Coton, qui étaient de bons petits lapins, descendirent le long du chemin pour cueillir des mûres.

Mais Pierre, qui était très désobéissant, courut tout droit au jardin de Monsieur MacGregor,

et se glissa sous le portail.

Tout d'abord, il mangea des laitues puis des haricots verts et enfin des radis.

Alors, ne se sentant pas très bien, il chercha du persil.

Mais, au détour d'une serre où poussaient des concombres, il tomba sur Monsieur MacGregor.

Monsieur MacGregor était à quatre pattes, en train de planter des choux, mais il se releva aussitôt et courut après Pierre en brandissant un râteau et en criant :
– Au voleur !

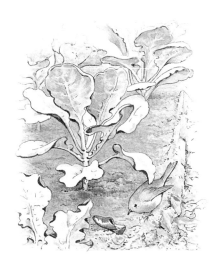

Pierre était terrifié. Il courut en tous sens dans le jardin, car il ne retrouvait plus le chemin de la sortie. Il perdit une de ses chaussures parmi

les choux et l'autre, parmi les pommes de terre.

Après avoir perdu ses chaussures, il se mit à courir à quatre pattes. Il courait de plus en plus vite et je crois qu'il aurait réussi à s'enfuir s'il ne s'était pas pris les pattes dans le filet qui protégeait les groseilliers. Les boutons de sa veste s'accrochèrent dans

les mailles et il ne pouvait plus s'en dépêtrer. C'était une veste toute neuve avec des boutons en cuivre.
Pierre se crut perdu et il versa de grosses larmes. Mais des moineaux, entendant ses sanglots, vinrent se poser auprès de lui et le supplièrent de se ressaisir.

Monsieur MacGregor surgit.
Il tenait à la main un tamis pour
capturer Pierre. Mais celui-ci
parvint à se dégager juste à
temps, abandonnant sa veste
derrière lui.

Alors il se précipita dans la
cabane à outils et sauta dans
un arrosoir. L'arrosoir aurait été
une très bonne cachette s'il
n'avait pas été plein d'eau.

Monsieur MacGregor était sûr
que le lapin se cachait dans la
cabane à outils, peut-être sous
un pot de fleurs renversé. Il
retourna tous les pots de fleurs
et regarda sous chacun d'eux.
Un instant plus tard, Pierre
éternua : « Atchoum ! »
Monsieur MacGregor se
précipita sur lui.

Il essaya de poser son pied sur
le lapin mais Pierre sauta par
une fenêtre, renversant au
passage trois pots de fleurs.
La fenêtre était trop petite pour
Monsieur MacGregor et,
d'ailleurs, il était fatigué
de courir après Pierre. Aussi
retourna-t-il travailler dans
son jardin.

Pierre s'assit pour se reposer.
Il était hors d'haleine et tremblait
de peur. Il n'avait pas la moindre
idée du chemin à prendre pour
rentrer chez lui. Et, en plus,
il était tout mouillé à cause
de l'arrosoir.

Peu après, il commença à
explorer les environs, à petits
pas, regardant tout autour de lui.
Il trouva une porte dans un mur.
Mais elle était fermée et il n'y
avait pas moyen pour un petit
lapin dodu de se glisser dessous.

Une vieille souris allait et venait
sur le pas de la porte emportant
des pois et des haricots pour
nourrir sa famille qui habitait
dans le bois. Pierre lui demanda
le chemin à prendre pour
rejoindre le portail, mais
elle avait un si gros pois dans
la bouche qu'elle ne pouvait pas
lui répondre. Elle se contenta
de le regarder en hochant
la tête. Pierre se mit à pleurer.

Puis il essaya de retrouver
son chemin en parcourant
le jardin mais il était de plus
en plus perdu.
Bientôt, il arriva près d'un
bassin où Monsieur MacGregor
avait l'habitude de remplir
ses arrosoirs. Un chat blanc
observait attentivement
des poissons dorés.
Il était assis, tout à fait
immobile, mais de temps en
temps le bout de sa queue
remuait. Pierre estima plus
prudent de passer son chemin
sans parler au chat. Son cousin
Benjamin l'avait mis en garde
contre les chats.

Pierre revint vers la cabane à
outils et soudain, tout près de
lui, il entendit le bruit d'une
binette raclant la terre, cric,

cric, cric... Pierre se cacha sous
un buisson.

Mais bientôt, ne voyant rien
venir, il reparut, grimpa dans
une brouette et observa ce
qui se passait. Il vit d'abord

Monsieur MacGregor qui
sarclait les oignons. Il tournait
le dos à Pierre et là-bas, au
fond, il y avait le portail. Pierre
descendit de la brouette le plus
silencieusement possible, puis il
se mit à courir aussi vite qu'il le
put le long d'une allée derrière
les groseilliers.
Monsieur MacGregor l'aperçut
au coin de l'allée, mais Pierre
ne s'en soucia guère. Il se glissa
sous le portail et parvint
à s'échapper dans les bois.

Monsieur MacGregor se servit
de la veste et des chaussures
de Pierre pour fabriquer un
épouvantail et faire peur aux
corbeaux.

Pierre courut sans s'arrêter ni
même jeter un coup d'œil
derrière lui jusqu'au grand
sapin où il habitait.

Il était si fatigué qu'il se laissa
tomber sur le sable douillet qui
recouvrait le sol du terrier et
ferma les yeux. Sa mère était en
train de faire la cuisine. Elle se
demanda ce que Pierre avait
fait de ses vêtements.

C'était la deuxième veste et la
deuxième paire de chaussures
qu'il perdait en quinze jours !
Je dois vous dire que Pierre ne
se sentit pas très bien pendant
toute la soirée. Sa mère le mit
au lit, lui prépara une infusion
de camomille et lui en fit boire
une bonne dose ! C'était comme
un médicament : une cuillerée
à soupe le soir avant de se
coucher !

Flopsaut, Trotsaut et Queue-de-
Coton, en revanche, eurent
du pain, du lait et des mûres
pour leur dîner.

L'ARBRE

Christian Broutin

Qu'est-ce qui se cache dans cette bogue verte et piquante ?

Un marron tout lisse !

Le marron est la graine du marronnier.
Il germe : un petit arbre est né.

Sous la terre s'enfoncent les racines :
elles nourrissent l'arbre.

À la fin de l'hiver, l'arbre a des milliers de bourgeons.
Ils attendent le soleil pour se réveiller.

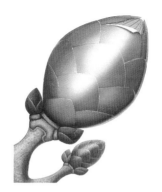

Les bourgeons éclatent, laissant
échapper de toutes petites feuilles.

Au printemps, tous les marronniers fleurissent.

Petit à petit les fleurs se
transforment en marrons.

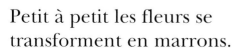

C'est l'été, il fait chaud,
les marrons grossissent.

Au début de l'automne,
les marrons tombent.

Regarde les arbres changer de couleur !

C'est l'automne,
les feuilles tombent.

L'arbre est une plante géante qui abrite et nourrit beaucoup d'animaux.

Tu peux reconnaître les arbres par leur taille, leur forme et leurs couleurs.

Le hêtre
est
très grand.

L'érable
à l'automne
ressemble à
un œuf géant.

Le
peuplier
est long
et pointu.

Les
branches
du saule
tombent.

Le
bouleau
est tout
maigre.

Tous les arbres ont des feuilles et des fruits.
Apprends à les observer.

La feuille
du chêne
a des
oreilles
rondes.

La feuille du
châtaignier a des
petites dents.

Le gland

La châtaigne

Celle du noisetier
a la forme
d'un cœur.

Les noisettes

Celle
du noyer
est une feuille
composée.

La feuille
de l'érable
a cinq pointes.

La noix

La samare ou pince-nez

Le sapin et ses cousins restent verts toute l'année.

Leurs feuilles sont des aiguilles ; elles ne tombent pas à l'automne.

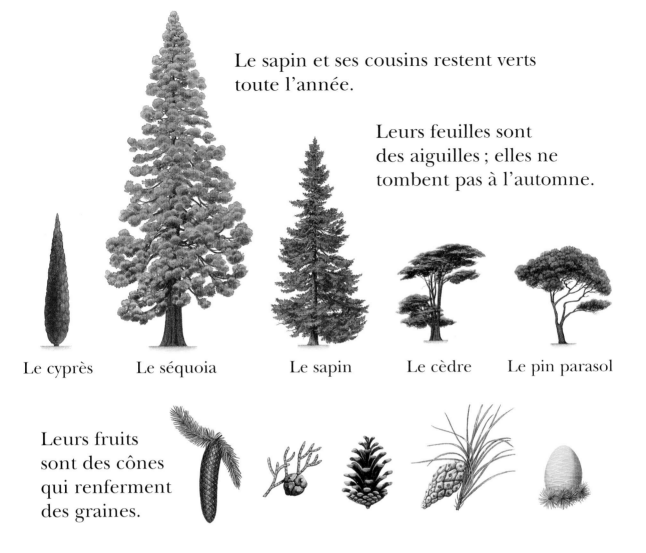

Le cyprès   Le séquoia   Le sapin   Le cèdre   Le pin parasol

Leurs fruits sont des cônes qui renferment des graines.

Avec le bois des arbres, toutes sortes d'objets sont fabriqués.

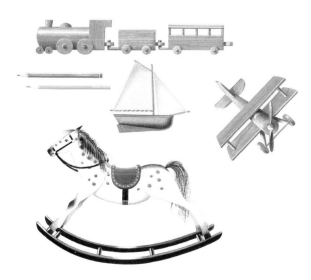

Le bois écrasé en minuscules morceaux donne la pâte à papier. Avec ce papier, on peut faire un livre... sur l'arbre !

LE MONSTRE POILU

Henriette Bichonnier . Pef

Au milieu d'une sombre forêt, dans une caverne humide et grise, vivait un monstre poilu. Il était laid ; il avait une tête énorme, directement posée sur deux petits pieds ridicules, ce qui l'empêchait de courir. Il ne pouvait donc pas quitter sa caverne.

Il avait aussi une grande bouche, deux petits yeux glauques, et deux longs bras minces qui partaient de ses oreilles et qui lui permettaient d'attraper les souris.

Le monstre avait des poils partout : au nez, aux pieds, au dos, aux dents, aux yeux, et ailleurs.
Ce monstre-là rêvait de manger des gens.

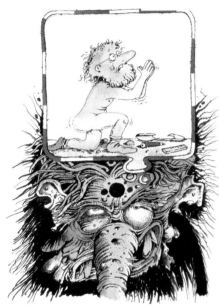

Tous les jours, il se postait sur le seuil de sa caverne et disait, avec des ricanements sinistres :
– Le premier qui passe, je le mange.
Mais jamais les gens ne passaient par là, car la forêt était bien trop profonde et bien trop sombre. Et comme le monstre ne pouvait pas courir, à cause de ses petits pieds ridicules, il n'attrapait jamais personne. Pourtant, avec patience, il continuait à attendre et à dire :
– Le premier qui passe, je le mange.
Un jour, un roi chassait dans la forêt, et il se perdit entre les arbres. Il s'approcha par mégarde de la caverne du monstre poilu.
Deux longs bras surgirent d'un coin sombre pour attraper le roi.
– Ha ! s'écria la vilaine bête, enfin quelque chose de meilleur à manger que les souris.

Et le monstre ouvrit une large bouche.
– Arrête ! Arrête ! s'écria le roi, je connais
quelque chose de bien meilleur que moi
à manger.
– Et quoi ? demanda le monstre.
– Des enfants bien tendres, dit le roi.
– Ah ? dit le monstre.
Alors il attacha une grande ficelle à la jambe du roi
et dit qu'il voulait bien le laisser partir s'il pouvait
lui ramener un enfant à manger. Le roi promit
qu'il reviendrait avec le premier gamin qu'il
rencontrerait.

– Attention, ajouta le monstre
poilu, si tu essaies de me tromper,
je tire sur la ficelle et je te ramène
ici. Compris ?
– Compris, dit le roi.
Il monta sur son cheval et galopa
jusqu'à l'orée de la forêt.
Là il s'arrêta, sortit une grande
paire de ciseaux de sa sacoche
et essaya de couper la ficelle qui
le rattachait au monstre.
Mais il fut bien surpris : la ficelle
était impossible à couper.
– Ha, ha ! ricana le monstre
au loin, n'essaie pas de me
tromper.
Désolé, le roi se remit en route.

Il traversa bientôt un village, espérant y rencontrer un gamin. Mais il fut
bien déçu : dans les rues, il n'y avait personne, tous les enfants étaient
à l'école.

Alors, le roi continua à galoper, avec sa ficelle toujours attachée au pied.
En arrivant près de son château, il vit enfin une fillette qui courait devant
lui au milieu du chemin.
« Ah ! se dit-il, voilà tout à fait ce qu'il me faut ! »

Mais quelle ne fut pas sa surprise lorsqu'il vit, en s'approchant, que la
fillette en question était sa propre fille, la petite Lucile, qui s'était
échappée du château pour aller s'acheter des malabars.
Furieux, le roi la gronda :
– Je t'avais interdit de manger des malabars ! Et je t'avais aussi interdit
de sortir du château. Ah ! Si tu savais…
Et il raconta la promesse qu'il avait faite au monstre.

À l'autre bout de la ficelle, dans sa caverne humide et grise, le monstre entendait tout grâce à son écouteur.

– Hahahaha ! ricanait-il, pas d'entourloupette ! Je veux cette petite fille tout de suite. Sinon…

Le roi se mit à pleurer et la petite Lucile dut le consoler :

– Ne pleure pas, Papa, dit-elle, je veux bien aller chez le monstre me faire manger.

– Ah ! Malheureuse, sanglota le père. Aaaaaaaah !

Il fit monter la petite fille sur son cheval et retourna à la caverne, d'où le monstre le guidait en tirant sur la ficelle.

Arrivé là, il déposa sa fille en tremblant.

Le monstre détacha la ficelle et ordonna au roi de partir tout de suite.

Puis il se tourna vers la fillette qui attendait poliment, les mains derrière le dos.

– Haha ! s'écria le monstre, je vais te manger, mon petit lapin.
– Poil aux mains, dit Lucile.
– Quoi ? dit le monstre.
– Je dis : « Poil aux mains », parce que vous avez des poils aux mains, dit
Lucile. (Et c'était tout à fait exact. Le monstre avait bien des poils aux mains,
vu qu'il avait des poils partout.)

– Ça, par exemple ! dit le monstre, petite effrontée !
– Poil au nez ! dit Lucile.
Surpris, le monstre dut reconnaître qu'il avait aussi des poils au nez,
puisqu'il était poilu partout. Mais comme il était en colère, il menaça la fillette.
– Je vais t'apprendre, moi !
– Poil aux doigts, dit Lucile.

– Tu vas le regretter !
– Poil aux pieds !

– C'est tout même
malheureux…
– Poil aux yeux !

– Attention,
je compte un…
– Poil aux mains !

– Deux…
– Poil aux yeux !

– Trois…
– Poil aux bras !

– Quatre !
– Poil aux pattes !

Le monstre, hors de lui, se roulait par terre de colère.
C'était d'ailleurs très drôle à voir.
Maintenant, il hurlait :
– Ce ne sont pas des manières
de princesse !
– Poil aux fesses !
– Maintenant, c'est fini !
– Poil au kiki !
Le monstre enrageait.
La fureur le faisait
gonfler, gonfler, gonfler. Il enfla tant
et tant qu'à la fin il éclata de colère,
explosant en petits morceaux qui
s'envolèrent dans tous les sens
et devinrent des papillons
multicolores et des fleurs
parfumées.

En dessous, sous la peau du vilain monstre poilu, apparut le petit garçon le plus mignon qu'on eût jamais vu.

– Je suis le prince charmant, poil aux dents, déclara-t-il avec un beau sourire. Tu m'as délivré, poil au nez, d'un mauvais sort, poil au corps, qui me retenait prisonnier, poil aux pieds, depuis des années,

poil au nez. Merci, poil au kiki. Tu me plais beaucoup, poil au cou.

Veux-tu m'épouser, poil aux pieds, nous serons heureux, poil aux yeux.

La petite fille trouva la proposition charmante. Elle accepta tout de suite et les deux enfants s'envolèrent sur le dos d'un papillon géant. À partir de ce jour, jamais plus, jamais plus, on n'entendit parler du monstre poilu.

Poil final.

L'OISEAU DU COLORADO

Robert Desnos . Martin Matje

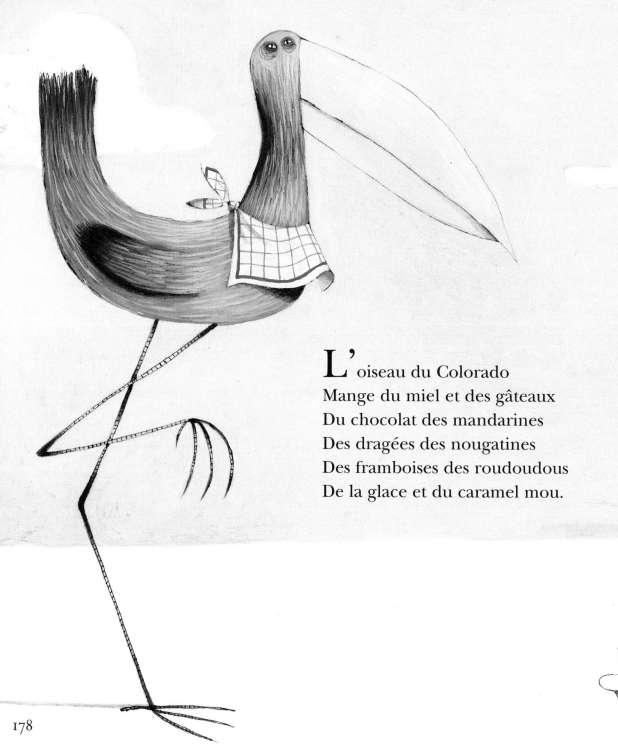

L'oiseau du Colorado
Mange du miel et des gâteaux
Du chocolat des mandarines
Des dragées des nougatines
Des framboises des roudoudous
De la glace et du caramel mou.

L'oiseau du Colorado
Boit du champagne et du sirop
Suc de fraise et lait d'autruche
Jus d'ananas glacé en cruche
Sang de pêche et navet
Whisky menthe et café.

L'oiseau du Colorado
Dans un grand lit fait un petit dodo
Puis il s'envole dans les nuages
Pour regarder les images
Et jouer un bon moment
Avec la pluie et le beau temps.

LA PRINCESSE FINEMOUCHE

Babette Cole

La princesse Finemouche ne voulait pas se marier. Cela lui plaisait bien d'être une demoiselle.
Comme elle était très mignonne et très riche, tous les princes convoitaient sa main.

Mais la princesse désirait vivre dans son château, avec ses petits chéris et n'en faire qu'à sa tête.

– Il serait temps que tu te pomponnes
un peu, lui dit la Reine-sa-Mère.
Arrête de tripoter ces bestioles
et trouve-toi un mari !
Les prétendants ne cessaient de venir
au château et de faire les intéressants.

– Okay, annonça la princesse Finemouche, j'accorderai ma blanche
main à celui qui triomphera des épreuves que je lui imposerai.

Elle demanda au
prince Beaugazon
d'empêcher
les chenilles
de se goinfrer
dans son jardin.

Elle pria le prince Risquetout
de nourrir ses petits chéris.

Elle défia le prince Elvis à un concours
de rock en patins à roulettes.

Elle invita le prince Vieutacot
à faire une balade à moto.

De la plus haute tour, elle
appela le prince Vertigo
à son secours.

Elle envoya le prince
Malabar couper
du bois dans la forêt
du Roi.

Elle suggéra au prince
des Arçons de dégourdir
un peu son poney.

Elle dit au prince Carpette
d'emmener
la Reine-sa-Mère
faire des emplettes.

Elle ordonna au prince Tuba
de récupérer son anneau
magique dans le bassin
des poissons rouges.

Aucun des princes ne sortit victorieux de l'épreuve.
Ils repartirent tous vexés comme des poux.
– Ouf ! dit Finemouche qui se croyait sauvée.

C'est alors que le prince
Flambard sonna à la porte
du château.

Il empêcha les chenilles de dévorer ses plates-bandes…

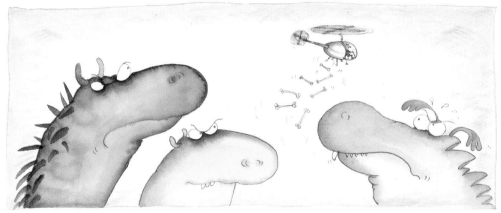

il gava ses petits chéris…

dansa et patina jusqu'à l'aube…

fit des kilomètres à moto.

Il escalada la plus
haute tour et vint
à son secours.

Il dénicha du petit bois dans la forêt du Roi.

Il réussit même à dompter son sale poney.

Il emmena la Reine-sa-Mère faire des emplettes…

et récupéra l'anneau dans le bassin des poissons rouges.

Le prince Flambard ne trouvait pas
la princesse si fine mouche que ça.
Alors, elle lui donna
un bai-ser-ma-gi-que…
et il se transforma
en un énorme crapaud
couvert de pustules !

Le prince Flambard repartit à toute allure !

Quand ils apprirent ce qui était arrivé
à leur copain, les autres princes
n'eurent PLUS DU TOUT
envie d'épouser
la princesse Finemouche…
qui fut très heureuse
et vécut très longtemps.

AU REVOIR BLAIREAU

Susan Varley

Blaireau était un ami sûr, toujours prêt à rendre service.
Très vieux, il connaissait presque tout de la vie et savait aussi qu'il devait mourir bientôt.
Blaireau n'avait pas peur de la mort. Pour lui, mourir, c'était simplement quitter son corps. Cela ne l'inquiétait guère, car son corps ne fonctionnait plus aussi bien que dans sa jeunesse.

Une seule chose le tourmentait : la peine qu'éprouveraient ses amis.
Pour les préparer, Blaireau leur avait dit que, bientôt, il descendrait dans le Grand Tunnel et il espérait qu'ils n'auraient pas trop de chagrin.

Un jour, Blaireau regardait Taupe et Grenouille dévaler la colline.
Il se sentait particulièrement vieux et fatigué. Il aurait souhaité plus que tout au monde courir avec eux, mais ses vieilles jambes ne le lui auraient pas permis.

Il regarda un moment ses amis s'amuser et ce spectacle lui fit plaisir.

Ce soir-là, il rentra tard au logis.
Il dit bonsoir à la lune et tira les rideaux.
Dehors il faisait froid.
Il se glissa lentement vers le bon feu qui l'attendait, tout au fond de son terrier.
Il dîna puis s'assit à son bureau pour écrire une lettre.
Lorsqu'il eut fini, il s'installa dans son fauteuil à bascule, près de la cheminée.

Il se balança doucement.
Bientôt il s'endormit et fit un étrange et merveilleux rêve,

un rêve comme jamais il n'en avait eu.

À sa grande surprise, Blaireau courait,
agile et vigoureux.
Devant lui s'ouvrait un très
grand tunnel.
Il abandonnait sa canne,
il n'en avait plus besoin.
Il courait vite, de plus en plus
vite, dans ce Grand Tunnel,
et puis, soudain, ses pattes
ne touchèrent plus le sol.
Il se sentit basculer,
tête en bas, et tomber,
tomber…
Blaireau se sentait libre.

C'était comme s'il avait quitté son corps.

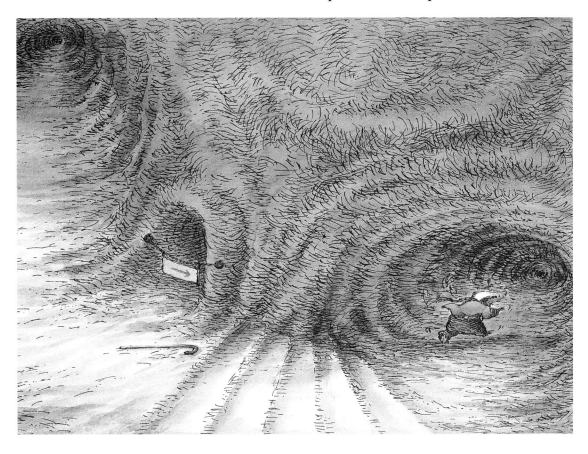

Le lendemain, les amis de Blaireau se rassemblèrent devant sa porte.
Ils s'inquiétaient, parce que leur ami n'était pas sorti pour leur dire
bonjour comme d'habitude.

Renard leur apprit la triste nouvelle : Blaireau était mort,
et il leur lut sa lettre.
Elle disait simplement :
« Je suis descendu dans le Grand Tunnel.
Au revoir. Blaireau »
Tous les animaux aimaient Blaireau et tous furent tristes.

Taupe, surtout, se sentit seul, perdu et très malheureux.
Toute la nuit, blotti sous ses couvertures, Taupe pensa à Blaireau.
De grosses larmes roulaient sur ses joues de velours.
Dehors, l'hiver avait commencé.
Bientôt, une épaisse couche de neige recouvrit les terriers douillets
où les animaux s'abritaient.

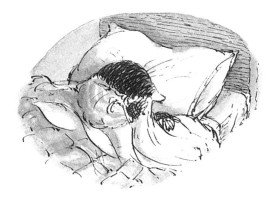

La neige recouvrait toute la campagne,
mais les amis de Blaireau n'avaient pas
oublié leur tristesse.
Blaireau était toujours là quand
on avait besoin de lui.
Tous les animaux se demandaient
que faire maintenant qu'il était parti.

Blaireau leur avait demandé de ne pas être malheureux, mais c'était
bien difficile.

À l'approche du printemps, les animaux se réunirent souvent
et parlèrent du temps où Blaireau vivait encore avec eux.

Taupe savait faire de belles
guirlandes en papier.
Il raconta qu'un jour Blaireau
lui avait appris à découper
des petites taupes
dans du papier plié.

Au début, les découpages ratés
avaient jonché le sol.
Taupe avait été tout joyeux
lorsqu'il avait enfin réussi
à découper une ribambelle
entière.

Grenouille était
un excellent patineur.
Blaireau lui avait appris
à faire ses premiers pas
sur la glace.

Il l'avait gentiment guidé jusqu'au jour où, enfin sûr de lui, Grenouille
s'était élancé et avait patiné tout seul.

Lorsqu'il était renardeau, Renard n'arrivait jamais à bien nouer
sa cravate.
Blaireau lui avait montré comment s'y prendre.
– Tu tiens le large bout de la cravate, tu le passes par-dessus le petit bout,
tu formes une boucle, tu rabats le large bout vers le devant,
puis tu le glisses dans la bouche, tu serres le nœud et tu le remontes
vers le cou.
Maintenant, Renard savait faire tous les nœuds possibles, et même
des nœuds de son invention.

Et, bien sûr, sa cravate était toujours impeccablement nouée.

Blaireau avait donné à Madame Lapin la recette du pain d'épice.
Il lui avait même appris à fabriquer des petits lapins.
Madame Lapin, qui, dans tout le pays, avait la réputation d'être
une excellente cuisinière, raconta sa première leçon de cuisine
avec Blaireau.
Il y avait bien longtemps de cela et, pourtant, elle sentait encore
la savoureuse odeur du pain d'épice sorti du four.
Chacun avait un souvenir particulier de Blaireau. À tous, il avait appris
quelque chose qu'ils faisaient maintenant merveilleusement bien.

Et, par ces merveilleux cadeaux, Blaireau les avait rapprochés et unis.

La neige fondit et la tristesse des animaux aussi.
Chaque fois que l'on prononçait le nom de Blaireau, quelqu'un
se rappelait une autre histoire qui redonnait le sourire à tous.
Par une belle journée de printemps, alors qu'il se promenait sur
la colline où il avait vu Blaireau pour la dernière fois, Taupe voulut
remercier son ami pour son merveilleux cadeau.
– Merci, Blaireau, dit-il doucement.
Il pensait que Blaireau l'entendrait.

Et… sans doute… Blaireau l'entendit.

L'ÉNORME CROCODILE

Roald Dahl . Quentin Blake

Au milieu de la plus grande, la plus noire, la plus boueuse rivière
d'Afrique, deux crocodiles se prélassaient, la tête à fleur d'eau.
L'un des crocodiles était énorme. L'autre n'était pas si gros.
– Sais-tu ce que j'aimerais pour mon déjeuner aujourd'hui ?
demanda l'Énorme Crocodile.
– Non, dit le Pas-si-Gros. Quoi ?
L'Énorme Crocodile s'esclaffa, découvrant des centaines de dents
blanches et pointues.
– Pour mon déjeuner aujourd'hui, reprit-il, j'aimerais un joli petit garçon
bien juteux.
– Je ne mange jamais d'enfants, dit le Pas-si-Gros. Seulement du poisson.
– Ho, ho, ho ! s'écria l'Énorme Crocodile. Je suis prêt à parier que si tu
voyais, à ce moment précis, un petit garçon dodu et bien juteux barboter
dans l'eau, tu n'en ferais qu'une bouchée !
– Certes pas ! répondit le Pas-si-Gros. Les enfants sont trop coriaces
et trop élastiques. Ils sont coriaces, élastiques, écœurants et amers.
– Coriaces ! Élastiques !! s'offusqua l'Énorme Crocodile. Écœurants !
Amers !!! Tu racontes des bêtises grosses comme toi. Ils sont juteux
et délicieux !
– Ils ont un goût si amer, insista le Pas-si-Gros, qu'il faut les enduire
de sucre avant de les consommer.
– Les enfants sont plus gros que les poissons, rétorqua l'Énorme
Crocodile. Ça te fait de plus grosses parts.
– Tu es un sale glouton, lança le Pas-si-Gros. Tu es le croco le plus glouton
de toute la rivière.
– Je suis le croco le plus audacieux de toute la rivière, affirma l'Énorme
Crocodile. Je suis le seul à oser quitter la rivière, à traverser la jungle
jusqu'à la ville pour y chercher des petits enfants à manger.
– Ça ne t'est arrivé qu'une seule fois, grogna le Pas-si-Gros.

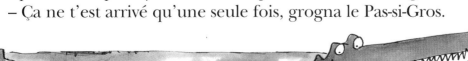

Et que se passa-t-il alors ? Tous les enfants t'ont vu venir et se sont enfuis.

– Oh ! Mais, aujourd'hui, il n'est pas question qu'ils me voient, répliqua l'Énorme Crocodile.

– Bien sûr qu'ils te verront, reprit le Pas-si-Gros, tu es si énorme et si laid qu'ils t'apercevront à des kilomètres.

L'Énorme Crocodile s'esclaffa de nouveau, et ses terribles dents blanches et pointues étincelèrent comme des couteaux au soleil.

– Personne ne me verra, dit-il, parce que cette fois, j'ai dressé des plans secrets et mis au point des ruses habiles.

– Des ruses habiles ? s'écria le Pas-si-Gros. Tu n'as jamais rien fait d'habile de toute ta vie ! Tu es le plus stupide croco de toute la rivière !

– Je suis le croco le plus malin de toute la rivière, répondit l'Énorme Crocodile. Ce midi, je me régalerai d'un petit enfant dodu et bien juteux pendant que toi, tu resteras ici, le ventre vide. Au revoir.

L'Énorme Crocodile gagna la rive et se hissa hors de l'eau. Une gigantesque créature pataugeait dans la boue visqueuse de la berge. C'était Double-Croupe, l'hippopotame.

– Salut, salut ! dit Double-Croupe. Où vas-tu à cette heure du jour ?

– J'ai dressé des plans secrets et mis au point des ruses habiles.

– Hélas ! s'exclama Double-Croupe, je jurerais que tu as en tête quelque horrible projet.

L'Énorme Crocodile rit à belles dents :

J'vais remplir mon ventre affamé et creux
Avec un truc délicieux, délicieux.

– Qu'est-ce qui est si délicieux ? interrogea Double-Croupe.

– Devine, lança le crocodile. C'est quelque chose qui marche sur deux jambes.

– Tu ne veux pas dire…, s'inquiéta
Double-Croupe. Tu ne vas pas me
dire que tu veux manger un enfant !
– Mais si ! acquiesça le Crocodile.
– Ah, le sale vorace ! La sombre brute !
s'emporta Double-Croupe. J'espère
que tu seras capturé, qu'on te fera
cuire et que tu seras transformé
en soupe de crocodile !!!
L'Énorme Crocodile partit d'un rire
bruyant et moqueur, puis il s'enfonça
dans la jungle.

Dans la jungle, il rencontra Trompette,
l'éléphant. Trompette grignotait des
feuilles cueillies à la cime d'un grand
arbre et il ne remarqua pas tout
d'abord le Crocodile.
Aussi ce dernier le mordit-il à la jambe.
– Eh ! s'offusqua Trompette de sa grosse voix profonde. Qui se permet ?
Ah, c'est toi, affreux Crocodile. Pourquoi ne retournes-tu pas à cette
grande rivière noire et boueuse d'où tu viens ?
– J'ai dressé des plans secrets et mis au point des ruses habiles,
dit le Crocodile.
– Tu veux dire de sombres plans et des ruses sournoises, insinua
Trompette. De ta vie, tu n'as accompli une seule bonne action.

L'Énorme Crocodile s'esclaffa :

J'suis d'sortie pour trouver un gosse à croquer.
Tends l'oreille et t'entendras les os craquer !

– Ah, quelle brute épaisse ! s'emporta Trompette. Ah, quel infect,
ignoble monstre ! Je voudrais que tu sois brisé et broyé, bouilli et réduit
en ragoût de crocodile !
L'Énorme Crocodile partit d'un rire bruyant et moqueur et s'enfonça
dans l'épaisse jungle.

Un peu plus loin, il rencontra Jojo-la-Malice, le singe. Jojo-la-Malice,
perché sur un arbre, mangeait des noisettes.
– Salut, Croquette, dit Jojo-la-Malice. Qu'est-ce que tu fabriques ?

– J'ai dressé des plans secrets
et mis au point des ruses habiles.
– Veux-tu des noisettes ?
demanda Jojo-la-Malice.
– J'ai mieux que ça,
dit le Crocodile avec dédain.
– Y a-t-il quelque chose de
meilleur que les noisettes ?
interrogea Jojo-la-Malice.
– Ha, ha ! fit l'Énorme Crocodile.

**L'aliment que je m'en vais consommer
Possède doigts, ongles, bras, jambes, pieds !**

Jojo-la-Malice pâlit et frémit
de la tête aux pieds.
– Tu n'as pas réellement
l'intention d'engloutir un
enfant, non ? s'effraya-t-il.
– Bien sûr que si, assura

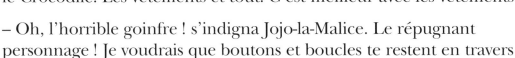

le Crocodile. Les vêtements et tout. C'est meilleur avec les vêtements.

– Oh, l'horrible goinfre ! s'indigna Jojo-la-Malice. Le répugnant
personnage ! Je voudrais que boutons et boucles te restent en travers
de la gorge et t'étouffent !

Le Crocodile s'esclaffa :
– Je mange également les singes.
Et, rapide comme l'éclair, d'un coup
sec de ses terribles mâchoires, il brisa
l'arbre sur lequel se tenait Jojo-la-
Malice.
L'arbre s'écrasa au sol, mais Jojo-la-
Malice bondit à temps vers les branches
voisines et s'enfuit dans le feuillage.

Un peu plus loin, l'Énorme Crocodile
rencontra Dodu-de-la-Plume, l'oiseau.
Dodu-de-la-Plume bâtissait un nid dans
un oranger.
– Salut à toi, Énorme Crocodile ! chanta

Dodu-de-la-Plume. On ne te voit pas souvent par ici.

– Ah ! dit le Crocodile. J'ai dressé des plans secrets et mis au point des ruses habiles.

– Rien de mauvais ? chanta Dodu-de-la-Plume.

– Mauvais ! ricana le Crocodile. Sûrement pas mauvais ! Au contraire, c'est délicieux !

C'est succulent, c'est super,
C'est fondant, c'est hyper !
Et c'est bien meilleur qu'du vieux poisson pourri
Ça s'écrase et ça craque,
Ça s'mastique et ça se croque !
D'l'entendre crisser sous la dent c'est joli !

– Ce doit être des baies, siffla Dodu-de-la-Plume. Pour moi, les baies, c'est ce qu'il y a de meilleur au monde. Peut-être des framboises ? Ou des fraises ?

L'Énorme Crocodile éclata d'un si grand rire que ses dents cliquetèrent telles des pièces dans une tirelire.

– Les crocodiles ne mangent pas de baies, affirma-t-il. Nous mangeons les petits garçons et les petites filles. Parfois, aussi, les oiseaux. D'une brusque détente, il se dressa et lança ses mâchoires vers Dodu-de-la-Plume. Il le manqua de peu mais parvint à saisir les longues et magnifiques plumes de sa queue. Dodu-de-la-Plume poussa un cri d'horreur et fendit l'air comme une flèche, abandonnant les plumes de sa queue dans la gueule de l'Énorme Crocodile.

Finalement, l'Énorme Crocodile parvint de l'autre côté de la jungle, dans un rayon de soleil. Il pouvait apercevoir la ville, toute proche.

« Ho, ho ! se confia-t-il à haute voix, ha, ha ! Cette marche à travers la jungle m'a donné une faim de loup. Un enfant, ça ne me suffira pas aujourd'hui. Je ne serai

rassasié qu'après en avoir dévoré au moins trois, bien juteux ! »
Il se mit à ramper en direction de la ville.

L'Énorme Crocodile parvint à un endroit où il y avait de nombreux cocotiers. Il savait que les enfants y venaient souvent chercher des noix de coco. Les arbres étaient trop grands pour qu'ils puissent y grimper, mais il y avait toujours des noix de coco à terre. L'Énorme Crocodile ramassa à la hâte toutes celles qui jonchaient le sol, ainsi que plusieurs branches cassées.

« Et maintenant, passons au piège subtil n° 1, murmura-t-il, je n'aurai pas à attendre longtemps avant de goûter au premier plat. »

Il rassembla les branches et les serra entre ses dents. Il recueillit les noix de coco dans ses pattes de devant. Puis il se dressa en prenant équilibre sur sa queue. Il avait disposé les branches et les noix de coco si habilement qu'il ressemblait à présent à un petit cocotier perdu parmi de grands cocotiers.

Bientôt arrivèrent deux enfants : le frère et la sœur. Le garçon s'appelait Julien ; la fillette, Marie. Ils inspectèrent les lieux, à la recherche de noix de coco, mais ils n'en purent trouver aucune, car l'Énorme Crocodile les avait toutes ramassées.

– Eh, regarde ! cria Julien. Cet arbre, là-bas, est beaucoup plus petit
que les autres et il est couvert de noix de coco ! Je dois pouvoir y grimper
si tu me donnes un coup de main.

Julien et Marie se précipitent vers ce qu'ils pensent être un petit cocotier.
L'Énorme Crocodile épie à travers les branches, suivant des yeux les
enfants à mesure qu'ils approchent. Il se lèche les babines. Le voilà
qui bave d'excitation…

Soudain, il y eut un fracas de tonnerre ! C'était Double-Croupe,
l'hippopotame. Crachant et soufflant, il sortit de la jungle. Tête baissée,
il arrivait à fond de train !

– Attention, Julien ! hurla Double-Croupe. Attention, Marie ! Ce n'est
pas un cocotier ! C'est l'Énorme Crocodile qui veut vous manger !
Double-Croupe chargea droit sur l'Énorme Crocodile. Il le frappa de
sa tête puissante et le fit valdinguer et glisser sur le sol.

– Aouh !… gémit le crocodile. Au secours ! Arrêtez ! Où suis-je ?

Julien et Marie s'enfuirent vers la ville aussi vite qu'ils le purent.
Mais les crocodiles ont la peau dure.
Il est difficile, même à un hippopotame,
de les blesser. L'Énorme Crocodile reprit
ses esprits et rampa vers un terrain
de jeux réservé aux enfants.
« Maintenant, passons au piège subtil
n° 2, se dit-il. Celui-là fonctionnera,
c'est sûr ! »

Pour le moment, il n'y avait pas d'enfants. Ils étaient tous à l'école.
L'Énorme Crocodile découvrit un grand morceau de bois ; le plaçant
au milieu du terrain, il s'y étendit en travers et replia ses pattes.
Il ressemblait presque, ainsi, à une balançoire !

À l'heure de la sortie, tous les enfants se précipitèrent vers le terrain
de jeux.
– Oh, regardez ! crièrent-ils, on a une nouvelle balançoire !
Ils l'entourèrent avec des cris de joie.
– C'est moi le premier !
– Je prends l'autre bout !
– À moi d'abord !
– Non, à moi, à moi !

Mais une petite fille, plus âgée que les autres, s'étonna :
– Elle me paraît bien noueuse, cette balançoire, non ? Vous croyez
qu'on peut s'y asseoir sans danger ?
– Mais oui ! reprirent les autres en chœur. C'est du solide !
L'Énorme Crocodile entrouvre un œil et observe les enfants qui
se pressent autour de lui.
« Bientôt, pense-t-il, l'un d'eux va prendre place sur ma tête, alors…
un coup de reins, un coup de dents, et… miam, miam, miam ! »
À cet instant précis, il y eut un éclair brun et quelque chose traversa
le terrain de jeux, puis bondit au sommet d'un portique. C'était Jojo-la-
Malice, le singe.
– Filez ! hurla-t-il aux enfants. Allez, filez tous ! Filez, filez, filez ! Ce n'est

pas une balançoire, c'est l'Énorme Crocodile qui veut vous manger !

Ce fut une belle panique parmi les enfants qui détalèrent. Jojo-la-Malice disparut dans la jungle et l'Énorme Crocodile se retrouva tout seul.

Maudissant le singe, il se replia vers les buissons pour se cacher.
« J'ai de plus en plus faim ! gémit-il, c'est au moins quatre enfants que je devrai engloutir avant d'être rassasié ! »

L'Énorme Crocodile rôda aux limites de la ville, prenant grand soin de ne pas se faire remarquer.
C'est ainsi qu'il arriva aux alentours d'une place où l'on achevait d'installer une fête foraine. Il y avait là des patinoires, des balançoires, des autos tamponneuses ; on vendait du pop-corn et de la barbe à papa. Il y avait aussi un grand manège. Le grand manège possédait de ces merveilleuses créatures en bois que les enfants enfourchent : des chevaux blancs, des lions, des tigres, des sirènes et leur queue de poisson, et des dragons effroyables aux langues rouges dardées.
« Passons au piège subtil n° 3 ! »

susurra l'Énorme Crocodile
en se léchant les babines.
Profitant d'un moment
d'inattention, il grimpa sur
le manège et s'installa entre un lion
et un dragon effroyable. Les pattes
arrière légèrement fléchies, il se tint
parfaitement immobile.
On aurait dit un vrai crocodile
de manège. Bientôt de nombreux
enfants envahirent la fête. Plusieurs
coururent vers le manège.
Ils étaient très excités.
– Je prends le dragon !
– Et moi, ce joli petit cheval blanc !
– À moi le lion !

Mais une petite fille, nommée Jill :
– Je veux monter sur ce drôle de
crocodile en bois !
L'Énorme Crocodile ne bouge pas
d'une écaille, mais il peut apercevoir la petite fille se diriger vers lui :
« Miam, miam, miam… Je ne vais en faire qu'une bouchée. »

Alors il y eut un froissement d'ailes : « flip-
flap », et quelque chose descendit du ciel
dans un bruissement de plumes
chamarrées, c'était Dodu-de-la-
Plume, l'oiseau. Il voleta
autour du manège, chantant :

– Attention, Jill ! Attention ! Attention ! Ne monte pas sur ce crocodile !
Jill s'immobilisa et leva les yeux.

– Ce n'est pas un crocodile en bois ! continua Dodu-de-la-Plume. C'est
un vrai. C'est l'Énorme Crocodile de la rivière qui veut te manger !
Jill fit demi-tour et s'enfuit. Et tous les enfants s'enfuirent.
Même l'homme qui surveillait le manège quitta son poste et s'enfuit au
plus vite. L'Énorme Crocodile, maudissant Dodu-de-la-Plume, se replia
vers les buissons pour s'y cacher.

« Qu'est-ce que j'ai faim ! Je pourrais manger
six enfants avant d'être rassasié ! »

Aux alentours immédiats de la ville,
il y avait un joli petit champ entouré d'arbres
et de buissons : au lieu-dit du « Pique-Nique ».
On y avait disposé des tables et de grands
bancs en bois, et les gens pouvaient venir s'y installer à tout moment.
L'Énorme Crocodile se glissa jusqu'à ce champ. Personne en vue !

« Et maintenant, passons au piège subtil n° 4 »,
marmonna-t-il entre ses dents.
Il cueillit une belle brassée de fleurs qu'il plaça
sur une table. Il ôta un des bancs de cette
même table et le cacha derrière un buisson.

Puis il prit lui-même la place du banc.
En rentrant la tête dans les épaules et en dissimulant sa queue, il finit par
ressembler exactement à un long banc de bois. Bientôt arrivèrent deux
garçons et deux filles qui
portaient des paniers remplis
de victuailles. Ils appartenaient
tous à la même famille et leur
mère leur avait donné la
permission d'aller pique-
niquer ensemble.

– Quelle table on prend ?
– Celle avec des fleurs !

L'Énorme Crocodile se fait
aussi discret qu'une souris.
« Je vais tous les manger !
se dit-il. Ils vont venir s'asseoir

sur mon dos, je sortirai alors brusquement la tête et je n'en ferai qu'une bouchée croustillante et savoureuse. »

C'est alors qu'une grosse voix profonde retentit dans la jungle :
– Arrière, les enfants ! Arrière ! Arrière !
Les enfants, saisis, scrutèrent l'endroit d'où provenait la voix. Dans un craquement de branches, Trompette, l'éléphant, surgit hors de la jungle.

– Ce n'est pas sur un banc que vous alliez vous asseoir, barrit-il, c'est sur l'Énorme Crocodile qui veut vous manger !

Trompette fila droit sur l'Énorme Crocodile et, rapide comme l'éclair, il enroula sa trompe autour de la queue de celui-ci, et le tint suspendu en l'air.
– Aïe, aïe, aïe ! Lâche-moi ! gémit l'Énorme Crocodile, la tête en bas, lâche-moi ! Lâche-moi !
– Non ! rétorqua Trompette, je ne te lâcherai pas ! On en a vraiment plein le dos de tes pièges subtils !

Trompette fit tourner le crocodile dans les airs.
D'abord lentement.
Puis plus vite…
Plus vite…
De plus en plus vite…
Toujours plus vite…
On ne vit bientôt plus de l'Énorme Crocodile

qu'une forme tourbillonnante au-dessus de la tête
de Trompette.

Soudain, Trompette lâcha la queue du crocodile qui
partit dans le ciel comme une grosse fusée verte.

Haut dans le ciel… de plus en plus haut… de plus en plus vite…
Il alla si vite et si haut que la terre ne fut plus
qu'un tout petit point en dessous.
Il passait en sifflant…
whizz… dans l'espace…
whizz… il dépassa la lune…
whizz… il dépassa les étoiles
et les planètes…
whizz… jusqu'à ce que, enfin…
dans le plus retentissant bang !!…
l'Énorme Crocodile fonce dans le soleil,
tête la première…
dans le soleil brûlant !!!…
C'est ainsi qu'il grilla comme
une saucisse !!!

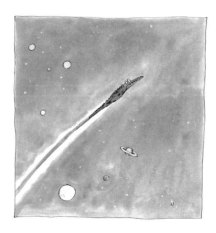

AU CLAIR DE LA LUNE

Claudine et Roland Sabatier

1. Au clair de la lu - ne, Mon a - mi Pier - rot,
Prê - te - moi ta plu - me, Pour é - crire un
mot. Ma chan - delle est mor - te, Je n'ai plus de
feu, Ou - vre - moi ta por - te, Pour l'a - mour de Dieu.

Au clair de la lune,
Mon ami Pierrot,
Prête-moi ta plume
Pour écrire un mot.
Ma chandelle est morte,
Je n'ai plus de feu,
Ouvre-moi ta porte,
Pour l'amour de Dieu.

Au clair de la lune,
Pierrot répondit :
– Je n'ai pas de plume,
Je suis dans mon lit.

Va chez la voisine,
Je crois qu'elle y est,
Car dans sa cuisine
On bat le briquet.

Au clair de la lune,
On n'y voit qu'un peu :
On chercha la plume,
On chercha le feu.
En cherchant d'la sorte
Je n'sais c'qu'on trouva,
Mais j'sais que la porte
Sur eux se ferma.

Variante
Au clair de la lune
Pierrot se rendort.
Il rêve à la lune,
Son cœur bat bien fort ;
Car toujours si bonne
Pour l'enfant tout blanc,
La lune lui donne
Son croissant d'argent.

On attribue généralement la musique de cette chanson populaire à Jean-Baptiste Lulli, né à Florence en 1632. Lulli vécut toute sa vie en France, et créa l'opéra de style français. *Au clair de la lune* est très certainement la plus célèbre des chansons enfantines. Sa mélodie a même été reprise dans plusieurs opéras.

AMOS ET BORIS

William Steig

Amos le souriceau habitait près de l'océan. Il aimait l'océan. Il aimait l'odeur de l'air marin. Il aimait les bruits du ressac, les vagues qui déferlent et les galets qui roulent.

Il pensait beaucoup à l'océan et s'interrogeait sur les lieux lointains situés de l'autre côté de l'eau.

Un jour, Amos commença à construire un bateau sur la plage.

Il y travaillait pendant la journée et, la nuit, il étudiait la navigation. Quand le bateau fut terminé, Amos le chargea de fromage, de biscuits, de glands, de miel, de grains de blé, de deux tonneaux d'eau douce, d'une boussole, d'un sextant, d'un télescope, d'une scie, d'un marteau, de clous et de planches en cas de réparations ; il prit également une aiguille et du fil pour recoudre les voiles déchirées et divers autres objets nécessaires, tels que pansements et teinture d'iode, un yoyo et un jeu de cartes.

Le 6 septembre, par un temps très calme, il attendit que la marée haute eût presque atteint son bateau ; alors, déployant toute sa force, Amos le poussa à l'eau, grimpa à bord et prit la mer.

Le *Rongeur* – c'était le nom du bateau – se révéla très bien fait à l'usage.

Et Amos, après avoir connu une pénible journée de mal de mer, devint très vite un bon marin, bien adapté au navire. Il était enchanté de son voyage. Le temps se montrait clément. Jour et nuit, Amos montait et descendait, montait et descendait le long de vagues grosses comme des montagnes, et il se sentait entreprenant, empli d'étonnement et d'amour de la vie.

Une nuit, dans une mer phosphorescente, il s'émerveilla de voir des baleines souffler de l'eau lumineuse ; plus tard, couché sur le pont de son bateau, regardant l'immense ciel étoilé, le minuscule Amos, petit point vivant dans le vaste univers vivant, se sentit en harmonie complète avec cet univers. Accablé par la beauté et le mystère de ce qui l'entourait, il roula sur lui-même et, du pont de son bateau, tomba dans l'eau.

– Au secours ! cria-t-il d'une petite voix aiguë en se raccrochant désespérément au *Rongeur*.

Mais le bateau lui échappa et vogua toutes voiles dehors ; il ne le revit jamais plus. Et il se trouvait là ! Où ?

Au milieu de l'immense océan, à quinze cents kilomètres au moins de la côte la plus proche, sans personne en vue et pas même un morceau de bois flottant auquel se raccrocher.

« Est-ce que je devrais essayer de retourner à la maison à la nage ? se demanda Amos. Ou est-ce que je devrais simplement essayer de flotter ? »

Il parviendrait peut-être à nager un kilomètre, mais jamais quinze cents.

Il décida de flotter, nageant à la verticale et espérant que quelque chose – qui sait quoi ? – surviendrait pour le sauver.

Qu'arriverait-il si un requin ou un gros poisson, un maquereau surgissait ?

Que devrait-il faire pour se protéger ? Il ne le savait pas.

Vint le matin qui renaît chaque jour. Amos se fatiguait terriblement.

Très petit, très mouillé et très inquiet, il avait aussi très froid.

Seul l'océan désert s'étendait devant ses yeux. La pluie se mit à tomber, comme si les choses n'allaient pas assez mal comme cela.

Enfin il cessa de pleuvoir, et le soleil de midi donna à Amos un peu de courage et de chaleur au milieu de cette vaste solitude ; mais ses forces l'abandonnaient. Il se demanda ce qu'il ressentirait s'il se noyait. Serait-ce long ? Serait-ce vraiment terrible ? Son âme irait-elle au ciel ? Y trouverait-elle d'autres souris ?

Comme Amos se posait ces affreuses questions, il vit une énorme tête jaillir de l'eau. C'était une baleine.

– Quelle sorte de poisson es-tu donc ? demanda-t-elle. Tu dois être une espèce unique !

– Je ne suis pas un poisson, répondit Amos. Je suis une souris, un mammifère, la forme supérieure de la vie. Je vis sur terre.

– Nom d'une palourde et d'une seiche ! s'exclama la baleine. Moi aussi, je suis un mammifère, bien que je vive dans la mer. Je m'appelle Boris.

Amos se présenta et raconta à Boris comment il en était venu à se trouver là, au milieu de l'océan. Boris affirma qu'il serait heureux d'emmener Amos en Côte-d'Ivoire, où il devait se rendre pour assister à une assemblée de baleines en provenance des sept mers.

Mais Amos répondit qu'il avait connu assez d'aventures pour un temps. Il voulait surtout rentrer chez lui et espérait que la baleine voudrait bien faire un détour pour l'y ramener.

– Non seulement cela ne me dérangerait pas, dit Boris, mais ce serait un plaisir pour moi. Quelle autre baleine, sur tous les océans du monde, a jamais eu l'occasion de rencontrer une créature aussi bizarre que toi ! Monte à bord, s'il te plaît.

Et Amos grimpa sur le dos de Boris.

– Es-tu sûr d'être un mammifère ?
demanda Amos. Tu sens plutôt
le poisson.
Boris la baleine se mit à nager, portant
Amos le souriceau sur son dos.
Quel soulagement de se sentir sain
et sauf ! Amos se coucha au soleil.
Éreinté, il s'endormit bientôt.

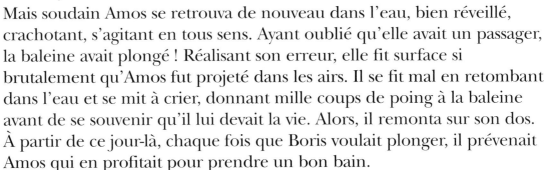

Mais soudain Amos se retrouva de nouveau dans l'eau, bien réveillé,
crachotant, s'agitant en tous sens. Ayant oublié qu'elle avait un passager,
la baleine avait plongé ! Réalisant son erreur, elle fit surface si
brutalement qu'Amos fut projeté dans les airs. Il se fit mal en retombant
dans l'eau et se mit à crier, donnant mille coups de poing à la baleine
avant de se souvenir qu'il lui devait la vie. Alors, il remonta sur son dos.
À partir de ce jour-là, chaque fois que Boris voulait plonger, il prévenait
Amos qui en profitait pour prendre un bon bain.
Nageant parfois à grande vitesse, parfois lentement et tranquillement,
se reposant parfois et échangeant des idées ou s'arrêtant pour dormir,
ils mirent une semaine à atteindre la côte proche de la maison d'Amos.
Pendant ce temps-là, une profonde admiration réciproque grandit entre
eux. Boris admirait la finesse, la délicatesse, le toucher léger, la petite
voix, le rayonnement du souriceau. Amos admirait le volume, la noblesse,
la puissance, la volonté, la belle voix et la bienveillance généreuse
de la baleine.
Ainsi, ils devinrent amis. Chacun racontait à l'autre sa vie,
ses ambitions. Ils partageaient leurs secrets les plus graves.
Boris s'intéressait beaucoup à la vie terrestre et regrettait

de ne pouvoir en faire l'expérience. Amos était séduit par les récits
de la vie sous-marine que la baleine lui faisait.

Il avait plaisir à prendre de l'exercice en courant de long en large
sur le dos de sa compagne. Quand il avait faim, il mangeait du plancton.
Une seule chose lui manquait : l'eau douce.

Vint le moment de se dire au revoir. Ils étaient près du rivage.

– Je souhaite que nous soyons amis pour toujours, dit Boris. Non : nous
serons amis pour toujours même si nous ne pouvons rester ensemble.
Tu dois vivre sur terre et je dois vivre en mer. Pourtant, je ne t'oublierai
jamais.

– Et tu peux être sûr que je ne t'oublierai jamais *non plus*, dit Amos.
Je te serai toujours reconnaissant de m'avoir sauvé la vie. Souviens-toi
que si jamais tu avais besoin de mon aide, je serai plus qu'heureux
de te l'apporter.

Comment pourrait-il jamais aider Boris ? Amos n'en savait rien. Boris
ne pouvait emmener Amos plus loin. Ils se firent donc leurs adieux
et Amos plongea du dos de Boris et nagea jusqu'au sable. Du haut d'une
falaise, il regarda la baleine souffler deux fois et disparaître. Boris riait
intérieurement.

« Comment ce souriceau pourrait-il bien m'aider ? Mais aussi petit qu'il
soit, je l'aime et il me manquera terriblement. »

Boris se rendit à la conférence, au large de la Côte-d'Ivoire, en Afrique,
puis il reprit sa vie de baleine pendant qu'Amos reprenait sa vie de
souris. Et ils étaient tous deux heureux.

Bien des années après les événements que nous venons de raconter, Amos n'étant plus une très jeune souris ni Boris une très jeune baleine, survint l'une des plus fortes tempêtes du siècle, l'ouragan Yetta.
Et il se trouva que Boris fut jeté sur la rive par une lame de fond et s'échoua sur le rivage même où demeurait Amos.
Il arriva également qu'Amos se rendit à la plage pour examiner les dégâts causés par l'ouragan Yetta ; la tempête s'était apaisée et Boris gisait sur le sable, se desséchant au chaud soleil, éprouvant le besoin urgent de replonger dans l'eau.
Bien entendu, Boris et Amos se reconnurent immédiatement. Je n'ai pas besoin de vous dire ce que ces vieux amis ressentirent en se retrouvant dans cette situation désespérée.

Amos se précipita vers Boris. Boris ne put que regarder Amos.
– Amos, aide-moi, dit la baleine-grosse-comme-une-montagne à la souris-grosse-comme-une-poussière. Je crois que je vais mourir si je ne retourne pas bientôt dans l'eau.
Amos regarda Boris avec une pitié extrême. Il se rendit compte qu'il fallait réfléchir très vite et agir plus vite encore. Brusquement, il disparut. « J'ai peur qu'il ne puisse pas m'aider, se dit Boris. Malgré toute sa bonne volonté, que peut faire quelqu'un d'aussi petit ? »
Tout comme Amos s'était jadis senti solitaire au milieu de l'océan, Boris la baleine se sentait également seule, étendue sur la plage.
Elle était certaine qu'elle allait mourir. Alors qu'elle s'y préparait, Amos

revint en courant, accompagné des deux plus grands éléphants qu'il avait
pu trouver. Sans perdre de temps, ces deux gentils éléphants se mirent
à pousser l'énorme corps de Boris de toutes leurs forces.
Ils parvinrent à le retourner, enduit de sable, et le roulèrent vers la mer.
Amos, debout sur la tête de l'un des éléphants, criait des ordres, mais
personne ne l'entendait. Au bout de quelques minutes, Boris la baleine
était déjà dans l'eau, baignée de vagues, et elle ressentait leur
merveilleuse humidité.
« Il faut être *hors* de la mer pour savoir vraiment comme c'est bon d'être
dedans, pensait-elle. Du moins, si l'on est baleine. »
À force de se tortiller et de se trémousser, elle atteignit bientôt l'eau plus
profonde. Elle se retourna vers Amos, qui était perché sur la tête du
premier éléphant. Des larmes coulaient sur les joues de la grosse baleine.
Le souriceau avait aussi les larmes aux yeux.
– Au revoir, chère amie, cria Amos d'une petite voix aiguë.
– Au revoir, cher ami, gronda Boris en disparaissant dans les vagues.
Ils savaient qu'ils ne se rencontreraient sans doute plus jamais.
Ils savaient aussi que jamais ils ne s'oublieraient.

LA BELLE LISSE POIRE
DU PRINCE
DE MOTORDU

Pef

À n'en pas douter, le prince de Motordu
menait la belle vie.
Il habitait un chapeau magnifique
au-dessus duquel, le dimanche,
flottaient des crapauds bleu blanc rouge
qu'on pouvait voir de loin.

Le prince de Motordu
ne s'ennuyait jamais.
Lorsque venait l'hiver, il faisait
d'extraordinaires batailles
de poules de neige.

Et le soir, il restait bien
au chaud à jouer
aux tartes avec ses coussins…

… dans la grande
salle à danger
du chapeau.

Le prince vivait à la campagne.
Un jour, on le voyait mener paître
son troupeau de boutons.

Le lendemain, on pouvait
l'admirer filant comme le vent
sur son râteau à voiles.
Et quand le dimanche arrivait,
il invitait ses amis à déjeuner.
Le menu était copieux :

Menu du jour

. Boulet rôti
. Purée de petit bois
. Pattes fraîches à volonté
. Suisses de grenouilles

        Au dessert

. Braises du jardin
. Confiture de murs de la maison.

Un jour, le père du prince de Motordu,
qui habitait le chapeau voisin, dit à son fils :
– Mon fils, il est grand temps de te marier.
– Me marier ? Et pourquoi donc, répondit
le prince, je suis très bien tout seul dans
mon chapeau.

Sa mère essaya
de le convaincre :
– Si tu venais à tomber
salade, lui dit-elle, qui
donc te repasserait ton
singe ?

Sans compter qu'une épouse
pourrait te raconter de belles
lisses poires avant de t'endormir.

Le prince se montra sensible à
ces arguments et prit la ferme
résolution de se marier bientôt.
Il ferma donc son chapeau à clé,
rentra son troupeau de boutons
dans les tables, puis monta dans
sa toiture de course pour se
mettre en quête d'une fiancée.

Hélas, en cours de route,
un pneu de sa toiture creva.

– Quelle tuile ! ronchonna le prince, heureusement que j'ai pensé à emporter ma boue de secours.

Au même moment, il aperçut une jeune flamme qui avait l'air de cueillir des braises des bois.

– Bonjour, dit le prince en s'approchant d'elle, je suis le prince de Motordu.
– Et moi, je suis la princesse Dézécolle et je suis institutrice dans une école publique, gratuite et obligatoire, répondit l'autre.
– Fort bien, dit le prince, et que diriez-vous d'une promenade dans ce petit pois qu'on voit là-bas ?

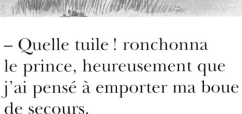

– Un petit pois ? s'étonna la princesse, mais on ne se promène pas dans un petit pois ! C'est un petit bois qu'on voit là-bas.

– Un petit bois ? Pas du tout, répondit le prince, les petits bois, on les mange. J'en suis d'ailleurs friand et il m'arrive d'en manger tant que j'en tombe salade. J'attrape alors de vilains moutons qui me démangent toute la nuit !

– À mon avis, vous souffrez de mots de tête, s'exclama la princesse Dézécolle, et je vais vous soigner dans mon école publique, gratuite et obligatoire.

Il n'y avait pas beaucoup d'élèves dans l'école de la princesse et on n'eut aucun mal à trouver une table libre pour le prince de Motordu, le nouveau de la classe.
Mais, dès qu'il commença à répondre aux questions qu'on lui posait, le prince déclencha l'hilarité parmi ses nouveaux camarades.

Ils n'avaient jamais entendu quelqu'un parler ainsi !

lundi

CALCUL

? | quatre et quatre : <u>huître</u>.
? | quatre et cinq : <u>bœuf</u>.
? | cinq et six : <u>bronze</u>.
? | six et six : <u>bouse</u>.

mardi

Que fabrique un frigo ?
un frigo fabrique des petits
? | <u>garçons</u> qu'on met dans
l'eau pour la rafraîchir.

HISTOIRE   *jeudi*

Napoléon déclara la guerre
!? | aux <u>puces</u>, il envahit la
?? | <u>Lucie</u> mais les <u>puces</u>
mirent le feu à Moscou
et l'empereur fut chassé
? | par les <u>vers</u> très froids
qu'il faisait cette année-
là, glaglagla....
<u>je n'ai pas tout
compris.</u>
<u>Bonne écriture</u> D

Quant à son cahier, il était, à chaque ligne, plein de taches
et de ratures : on eût dit un véritable torchon.
Mais la princesse Dézécolle n'abandonna pas pour autant.
Patiemment, chaque jour, elle essaya de lui
apprendre à parler comme tout le monde.

– On ne dit pas : j'habite un papillon,
mais j'habite un pavillon.

sept
et
six
=
treize !

Peu à peu, le prince de Motordu,
grâce aux efforts constants de son
institutrice, commença à faire des
progrès.

Au bout de quelques semaines,
il parvint à parler normalement,
mais ses camarades le trouvaient
beaucoup moins drôle depuis
qu'il ne tordait plus les mots.

À la fin de l'année, cependant,
il obtint le prix de camaraderie car,
comme il était riche, il achetait
chaque jour des kilos de bonbons
qu'il distribuait sans compter.

Lorsqu'il revint chez lui, après avoir passé une année en classe,
le prince de Motordu avait complètement oublié de se marier.

Mais quelques jours plus tard, il reçut
une lettre qui lui rafraîchit
la mémoire.

mardi 4

Cher Motordu

A présent que vous ne
souffrez plus de mots de tête
j'aimerais savoir si vous
aimeriez bien vous marier
avec moi !
Princesse Dézécolle

P.S. vous avez oublié de me rendre
votre livre de géographie. Merci

Il s'empressa d'y répondre, le jour
même.

TELEGRAMME

DESTINATAIRE — Princesse Dézécolle — NOMBRE DE MOTS : 23 — MENTION de SERVICE : la poste ferme à 5 heures !

j'ai fini de lire le livre, il est
très bien et j'accepte de me
marier avec vous et avec joie
Amitiés Stop.

SIGNÉ : Motordu (prince.)

N° 701-B.

Et c'est ainsi que le prince de Motordu épousa
la princesse Dézécolle.
Le mariage eut lieu à l'école même et tous
les élèves furent invités.

Un soir, la princesse dit
à son mari :
– Je voudrais des enfants.

– Combien ? demanda le prince qui
était en train de passer l'aspirateur.
– Beaucoup, répondit la princesse,
plein de petits glaçons
et de petites billes.

Le prince la regarda
avec étonnement,
puis il éclata de rire.

– Décidément, dit-il, vous êtes vraiment la femme qu'il
me fallait, Madame de Motordu. Soit, nous aurons des
enfants et en attendant qu'ils soient là, commençons dès
maintenant à leur tricoter des bulles et des josettes pour
l'hiver...

EN SORTANT DE L'ÉCOLE

Jacques Prévert . Jacqueline Duhême

En sortant de l'école
nous avons rencontré
un grand chemin de fer
qui nous a emmenés
tout autour de la terre
dans un wagon doré

Tout autour de la terre
nous avons rencontré
la mer qui se promenait
avec tous ses coquillages
ses îles parfumées
et puis ses beaux naufrages
et ses saumons fumés
Au-dessus de la mer
nous avons rencontré
la lune et les étoiles
sur un bateau à voiles
partant pour le Japon

et les trois mousquetaires des cinq doigts de la main
tournant la manivelle d'un petit sous-marin
plongeant au fond des mers
pour chercher des oursins

Revenant sur la terre
nous avons rencontré
sur la voie de chemin de fer
une maison qui fuyait
fuyait tout autour de la terre
fuyait tout autour de la mer
fuyait devant l'hiver
qui voulait l'attraper

Mais nous sur notre
    chemin de fer
on s'est mis à rouler
rouler derrière l'hiver
et on l'a écrasé
et la maison s'est arrêtée
et le printemps nous a salués
C'était lui le garde-barrière
et il nous a bien remerciés

et toutes les fleurs de toute la terre
soudain se sont mises à pousser
pousser à tort et à travers
sur la voie du chemin de fer
qui ne voulait plus avancer
de peur de les abîmer

Alors on est revenu à pied
à pied tout autour de la terre
à pied tout autour de la mer
tout autour du soleil
de la lune et des étoiles
À pied à cheval en voiture
et en bateau à voiles.

LE BATEAU VERT

Quentin Blake

Je me souviens très clairement, encore maintenant, de ce que nous avons ressenti lorsque nous avons enjambé le mur du jardin de la grande maison. Nous savions que ce n'était pas permis, mais nous étions déjà depuis deux semaines en vacances chez notre tante, et nous commencions à trouver le temps long. Nous étions à l'affût d'une aventure.

De l'autre côté du mur, le jardin ne ressemblait pas à ce que nous voyions d'habitude ; c'était plutôt un parc, une forêt même.

– On pourrait être des explorateurs ! dit Alice, en pénétrant dans le sous-bois. Je me demande ce que nous allons découvrir…

Les arbres étaient immenses et couverts de lierre ; cela ressemblait vraiment à la jungle. Nous nous enfonçâmes de plus en plus profondément. Nous avions l'impression d'être complètement perdus ; puis, tout à coup, en écartant un écran de branchages, nous vîmes quelque chose d'absolument stupéfiant.

C'était un bateau. Enfin, ce n'était pas un vrai bateau, mais ça en avait l'air. Des buissons avaient été sculptés en forme de proue et de poupe, et deux arbres avaient été taillés en forme de cheminée.

De part et d'autre il y avait deux autres arbres longs et frêles,
pratiquement sans branches, qui faisaient visiblement office de mâts.
Alors, Alice dit :

– Allons-y. Il n'y a personne
à bord. Jetons un coup d'œil.
À l'arrière du bateau se dressait
une sorte de cabane en bois ou
d'abri au sommet d'une vieille
souche d'arbre. On y accédait par
une échelle en bois. Nous sommes
montés et sommes entrés.
À l'intérieur se trouvait une roue
dont les rayons dépassaient,
exactement comme la barre d'un
bateau.
Une longue-vue était posée sur
une petite étagère, avec, juste
à côté, la photo d'un homme en
uniforme dans un cadre de bois.
Une lanterne pendait du plafond.

Par les fenêtres, on voyait à des kilomètres à la ronde. On pouvait
presque se croire en pleine mer.

Puis, tout à coup, nous fûmes surpris par une voix
qui disait :
– Eh bien, qu'avons-nous ici, maître d'équipage ?
Une dame très mince, vêtue d'une robe mauve, nous
regardait d'en bas.
– Qu'en pensez-vous, maître d'équipage ? Allons-nous
les mettre aux fers ?

– Ce ne sont que des
petits jeunes, dit le
maître d'équipage, qui
en réalité ressemblait
plus à un jardinier.
Faudrait plutôt leur faire
passer le faubert sur le
pont, si vous voulez mon
avis.

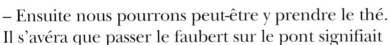

– Ensuite nous pourrons peut-être y prendre le thé.
Il s'avéra que passer le faubert sur le pont signifiait
balayer les feuilles. Mais le thé était bien
du thé, avec du gâteau au madère et des
sandwichs au concombre. Après cela,
Madame Trédégar (c'était son nom) dit :
– Le maître d'équipage va vous
raccompagner à terre. Et pourquoi
ne pas revenir demain ? Je suis sûre
que c'est ce que le capitaine aurait
souhaité.

Le lendemain matin,
avec la permission
de notre tante, nous
étions de nouveau
à bord du Bateau Vert.

Nous escaladâmes
les mâts.

Nous prîmes la barre à tour
de rôle pour diriger le bateau.

Madame Trédégar nous montra
comment nous servir de la longue-vue.
À la fin de la journée, nous étions
un équipage tout à fait au point.

Lors de notre visite suivante, Madame Trédégar nous apporta un vieil atlas, et chaque jour qui suivit, nous imaginions que nous voguions vers quelque nouvelle contrée. Un vase de pierre devint une ruine romaine. Un palmier (qui en était vraiment un) devint la côte lointaine de l'Égypte.

Un jour frisquet, nous fîmes semblant d'être dans l'Arctique.
Les buissons devinrent des icebergs et quelques moutons qui avaient pénétré par inadvertance dans le jardin devinrent des ours polaires.

Les derniers jours de nos vacances furent chauds et ensoleillés.
Ils devinrent de plus en plus chauds.
Nous portions des chapeaux de soleil, jouions au
palet sur le pont et buvions des litres de jus de
citron vert.
C'était comme si nous nous dirigions
vers le sud à travers les mers tropicales.
Finalement, la température monta
tellement que Madame Trédégar décida

que nous avions atteint
l'équateur et que nous
devions organiser la
cérémonie du passage de la
ligne. Le maître d'équipage
était le roi Neptune avec
une barbe de ficelle et
une fourche comme trident.

Ceux qui traversaient l'équateur pour la première fois devaient être rasés ; ceci s'appliquait à Alice autant qu'à moi.

Il y avait un seau d'eau savonneuse et une sorte de couteau à beurre en bois trouvé dans la cuisine, et après la cérémonie nous étions tous trempés.

Le lendemain était notre dernier jour de vacances et nous étions invités à passer la journée et à rester dormir dans la grande maison.

Il faisait plus chaud que jamais et il n'y avait pas un souffle d'air.
Tout à coup, après le goûter, le ciel prit une étrange couleur et
de grosses gouttes de pluie se mirent à tomber.
– Nous allons essuyer une tempête, dit Madame Trédégar. Allez,
équipage, dans la timonerie !
Une grosse rafale de vent chaud balaya le jardin.
Madame Trédégar prit le gouvernail.
– Qu'aurait fait le capitaine ? dit-elle. Direction l'œil de la tempête.
C'est cela. Droit sur l'œil de la tempête !

Et quel orage ! D'énormes coups de tonnerre claquaient ; les éclairs crépitaient à travers le ciel.

Le balancement de la lanterne et la pluie frappant les fenêtres de plein fouet nous donnaient l'impression que nous étions vraiment en pleine mer. Et, inlassablement, la tempête rugissait. À un certain moment, nous avons dû nous endormir car, lorsque nous ouvrîmes l'œil, nous étions sur le plancher de la timonerie, éclairés par le soleil du petit matin.

Madame Trédégar était toujours à la barre.

– Il s'en est sorti. Il s'en est bien sorti, dit-elle.

Puis elle se tourna et nous regarda en disant :

– Bravo, équipage !

Le capitaine aurait été fier de vous.

Ensuite, Madame Trédégar

s'éloigna en traversant l'herbe et, avec une longue tige de lierre, elle arrima le pauvre bateau, bien éprouvé, comme s'il avait enfin atteint son port d'attache.

Nous continuons à aller voir Madame Trédégar chaque année. Le maître d'équipage nous explique qu'il

a désormais trop de rhumatismes pour grimper et tailler les mâts et les cheminées, et que Madame Trédégar ne s'en inquiète pas. Ainsi, progressivement, année après année, les arbres reprennent leur forme initiale ; ils deviennent des arbres comme les autres, et bientôt nul ne pourra deviner qu'il fut un temps, pas si lointain, où il y avait là un Bateau Vert.

NOUS N'IRONS PLUS AU BOIS

Claudine et Roland Sabatier

1. Nous n'i- rons plus au bois, Les lau- riers sont cou- pés,
La bel- le que voi- là I- ra les ra- mas- ser.

Refrain

En- trez dans la dan- se, Vo- yez comme on dan- se, Sau-
-tez, dan- sez, Em- bras- sez qui vous vou- drez.

Nous n'irons plus au bois,
Les lauriers sont coupés,
La belle que voilà
Ira les ramasser.

Refrain
Entrez dans la danse,
Voyez comme on danse,
Sautez, dansez,
Embrassez qui vous voudrez.

La belle que voilà
Ira les ramasser,
Mais les lauriers du bois,
Les lairons-nous couper ?

Non chacune à son tour
Ira les ramasser.

Si la cigale y dort
Il n'faut pas la blesser.

Le chant du rossignol
Viendra la réveiller.

Et aussi la fauvette
Avec son doux gosier.

Et Jeanne la bergère
Avec son blanc panier.

Allant cueillir la fraise
Et la fleur d'églantier.

Cigale, ma cigale,
Allons, il faut chanter.

Car les lauriers du bois
Sont déjà repoussés.

Dans un coin du bois de Boulogne,
planté de lauriers, vers 1750,
les amoureux se retrouvaient loin
des regards indiscrets. Mais quand
on taillait les arbustes…

ÉLOÏSE

Kay Thompson . Hilary Knight

Parfois, j'ai des sautes d'humeur

mais pas trop souvent.

LE GRAND LIVRE VERT

Robert Graves . Maurice Sendak

Il y a longtemps de cela, vivait un petit garçon nommé Jack. Il habitait une maison au milieu des champs, avec son oncle, sa tante et un gros chien qui chassait les lapins. Les parents de Jack étaient morts, et son oncle et sa tante ne se montraient pas *vraiment* gentils avec lui.

Au lieu de le laisser sortir seul avec le chien, ils l'emmenaient faire de *charmantes et longues promenades* à travers champs, et Jack n'aimait pas du tout cela.

Un jour, Jack alla jouer au grenier et il y trouva un grand livre vert caché sous un vieux sac dans un coin.

Il ramassa le grand livre vert et se mit à le lire. Il espérait avoir trouvé un livre de contes, mais c'était cent fois mieux.

Ses yeux s'écarquillaient à mesure qu'il lisait. Le grand livre vert était rempli de formules magiques : comment vieillir ou rajeunir selon ses désirs, comment transformer les objets, comment faire obéir les oiseaux et les animaux, et comment devenir invisible. À la fin du livre, il y avait des formules pour gagner aux cartes et pour apprendre ses leçons en un clin d'œil.

Je ne peux pas vous dire comment on faisait ces tours parce que cela se passait il y a bien longtemps et, maintenant, le grand livre vert a disparu. Mais la plupart des formules, dans les livres de magie, commencent par : « D'abord, dessinez

un cercle enchanté avec un grand bâton, puis respirez profondément trois fois… »

Jack cacha le grand livre vert sous sa chemise et sortit de la maison pour le lire dans un champ, derrière le jardin. Il s'assit sur l'herbe en se disant : « D'abord, je me transforme en vieil homme. Comme cela,

si mon oncle et ma tante me voient, ils ne me demanderont pas : Quel est ce grand livre vert ? »

Il dessina donc un cercle autour de lui avec un grand bâton, respira trois fois profondément et lut une des formules magiques du livre. Bientôt, à la place du petit garçon, il y avait un vieil homme à longue barbe. Jack portait toujours ses habits de petit garçon, alors il récita une autre formule pour les changer en haillons. Comme cela, si son oncle et sa tante passaient par là, ils ne le reconnaîtraient pas.

Il continua à lire les formules magiques du grand livre vert, les essayant toutes et s'amusant beaucoup.

Ce jour-là, la tante voulait emmener Jack faire une *charmante et longue promenade*. Elle chercha dans le grenier, mais elle ne le trouva pas ; puis dans le jardin, mais elle ne le trouva pas ; enfin elle l'appela, mais il ne vint pas.

L'oncle et la tante partirent donc à sa recherche dans les champs,
mais ils ne l'y trouvèrent pas.
Ils montèrent regarder au loin, par la fenêtre du grenier,
et n'aperçurent qu'un vieil homme en haillons assis dans le champ
derrière le jardin et qui lisait un grand livre vert.

– Nous pourrions aller
demander à ce vieil homme
en haillons s'il n'a pas vu
Jack, dit la tante.
– D'accord, dit l'oncle.

Ils sortirent de la maison
avec le chien qui chassait
les lapins, et traversèrent
le jardin.

Comme ils approchaient, le vieil homme (c'était toujours Jack, bien sûr) cacha le grand livre vert sous ses haillons et récita une formule pour devenir invisible.

– J'avais bien vu un vieil homme, pas toi ? dit l'oncle à la tante. Mais il n'est plus là.

Jack passa tranquillement derrière eux et récita la formule pour redevenir visible.

– Bonjour ! fit-il alors.

Ils se retournèrent.

– Ah, vous voilà enfin, vieil homme ! dirent-ils. Avez-vous vu un petit garçon ?

Jack se mit à rire.

– Pourquoi riez-vous, vieil homme ? demanda l'oncle.

– C'est tellement drôle de me poser cette question, répondit Jack. Oui, j'ai vu un petit garçon ici, il y a une minute à peine. Il m'a dit qu'il s'appelait Jack. Mais il n'est plus là.

– Merci beaucoup, vieil homme, firent l'oncle et la tante.

Nous allons partir à sa recherche.

– Attendez ! D'abord, faites une partie de cartes avec moi, proposa Jack. Maintenant il connaissait toutes les formules pour gagner au jeu et il avait récité une autre formule pour transformer quelques feuilles mortes en un paquet de cartes.

– D'accord, dirent l'oncle et la tante. Nous jouerons tous les deux contre vous une partie à un franc.
Ils s'assirent sur l'herbe et commencèrent à jouer aux cartes avec Jack. Ils perdirent la partie.
Ils jouèrent une seconde partie à deux francs et perdirent ;
ils jouèrent une troisième partie à quatre francs et perdirent ;
ils jouèrent une quatrième partie à huit francs et perdirent.
Chaque fois, ils étaient sûrs de regagner la somme perdue et ils doublaient la mise, mais ils perdaient tout le temps. À la fin, ils devaient une centaine de milliers de francs.
– Ça suffit, dit Jack. J'ai trop de chance pour vous. Payez-moi ces cent mille francs et nous serons quittes.

– Rien qu'une autre partie, dit l'oncle. Cette fois, je suis sûr de regagner tout l'argent, si je double encore la mise.

– Nous n'aurions jamais dû jouer aux cartes avec vous, vieil homme, dit l'oncle après avoir perdu la partie. Vous avez trop de chance. Il ne nous reste plus d'argent. Mais jouons une autre partie. Si nous perdons, vous gagnerez notre maison, notre jardin, notre chien qui chasse les lapins,
et tout le reste.

– Oui, donnez-nous une autre chance, insista la tante.

– D'accord, dit Jack.

Ils jouèrent une autre partie et ils perdirent.

– Une dernière partie, vieil homme ! s'écrièrent alors l'oncle et la tante. Nous regagnons tout l'argent, la maison, le jardin, le chien qui chasse les lapins et tout le reste, ou bien nous perdons et devenons vos serviteurs jusqu'à la fin de nos jours.

– D'accord, dit Jack.

Ils rejouèrent et reperdirent.

– Nous serons vos serviteurs jusqu'à la fin de nos jours, dirent-ils. Mais qu'arrivera-t-il à notre pauvre petit Jack ?

– Eh bien, d'abord, il faut le retrouver, dit Jack. Après, nous verrons ce que nous pouvons faire de lui. J'aime bien ce petit garçon. Je le laisserai habiter dans ma maison. Allons-y.

– Vieil homme, dit la tante, racontez-nous comment vous arrivez à gagner tout le temps.

– Oh, simplement par magie, dit Jack en jetant au loin les cartes qui redevinrent des feuilles mortes.

– Magnifique ! s'écria l'oncle. Montrez-moi un autre tour !

– D'accord, dit Jack. Vous voyez ces trois petits pois verts ? Je les ai

pris dans votre jardin. Alignez-les dans la paume de votre main et essayez de souffler sur celui du milieu sans souffler sur les deux autres.

L'oncle essaya, mais il n'arrivait pas à souffler sur le petit pois du milieu sans faire également tomber les deux autres.

– Voici comment vous devez faire, dit Jack.

Il plia les doigts sur les pois qui étaient sur le côté et souffla sur celui du milieu.

– Ce n'est pas de la magie ! s'écria l'oncle. Je peux en faire autant !

– Essayez, dit Jack. Voici les trois pois.

L'oncle aligna les trois pois dans sa paume. Mais quand il plia les doigts pour retenir les deux pois, Jack récita une formule. Les ongles de l'oncle s'allongèrent et lui transpercèrent la main.

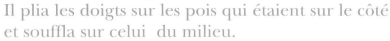

– Aïe ! cria l'oncle. Mes ongles ont transpercé ma main !

Jack riait sans s'arrêter, mais il redonna aux ongles leur longueur normale.

Tandis qu'ils se dirigeaient vers la maison, le chien chassait un lapin.

– Il chasse toujours les lapins, dit l'oncle. Souvent, nous mangeons du pâté de lapin.

– Eh bien, nous ne mangerons pas de pâté de lapin aujourd'hui, dit Jack. Il récita une formule. Aussitôt, le lapin pourchassé se retourna et donna un coup sur le nez du chien. Le chien s'enfuit et le lapin le poursuivit à travers champs. Puis tous deux disparurent. Jack, l'oncle et la tante

riaient, riaient, riaient… Ils traversèrent le jardin et arrivèrent devant la porte de la maison.

– Cette maison est à vous, vieil homme, dit l'oncle. Le jardin aussi.

– Très bien, dit Jack. Je vais jeter un coup d'œil à l'intérieur.

Il entra, redevint petit garçon, avec ses habits et sa casquette, remit le grand livre vert à sa place, sous le sac, et redescendit du grenier.

– Ah, enfin te voilà, Jack ! s'écrièrent l'oncle et la tante. Cette maison et ce jardin ne sont plus à nous, hélas. Et nous allons être serviteurs jusqu'à la fin de nos jours. Nous avons joué aux cartes avec un vieil homme en haillons et nous avons tout perdu !

– Oh, mon oncle ! dit Jack. Vous qui m'aviez interdit de jouer aux cartes pour de l'argent ! Qu'allez-vous faire, maintenant ? Et moi, que vais-je devenir ?

– Le vieil homme en haillons sera gentil avec toi, je l'espère, dit la tante. Il vient juste d'entrer dans la maison pour l'examiner. C'est sa maison, à présent.

– Je n'ai pas vu de vieil homme en haillons, dit Jack. Vous avez dû rêver. Et à propos, où est passé le chien ?

– Oh, le chien a été chassé par un lapin, répondit la tante.

– Maintenant, je suis *certain* que vous avez dû rêver, dit Jack. Les lapins ne chassent pas les chiens.

– Celui-là, si, dit la tante.

La tante et l'oncle entrèrent alors dans la maison, mais ne trouvèrent nulle part le vieil homme en haillons.

Ils se sentirent tout bêtes.

– Tu as raison, Jack, dit la tante. Nous avons dû rêver. Alors, nous ne sommes pas les serviteurs du vieil homme en haillons puisqu'il n'a jamais existé.

Notre argent, cette maison et ce jardin nous appartiennent toujours ! Jack riait, riait, riait… Mais il ne raconta jamais le tour qu'il leur avait joué. Jamais.

Il avait un peu peur de ce qu'il pouvait faire avec le grand livre vert. Il utilisa seulement la formule pour apprendre ses leçons en un clin d'œil. Il fut toujours le premier en classe. Mais par la suite, le chien eut tellement peur des lapins qu'on ne mangea plus jamais de pâté de lapin dans cette maison.

Non, plus jamais.

IXATNU SIOFNNUT
I AVAY

Raymond Queneau . Dominique Corbasson

Y avait une fois un taxi
taxi taxi taximètre
qui circulait dans Paris
taxi taxi taxi cuit

il aimait tant les voyages
taxi taxi taximètre
qu'il allait jusqu'en Hongrie
taxi taxi taxi cuit

et qu'il traversait la Manche
taxi taxi taximètre
en empruntant le ferry
taxi taxi taxi cuit

un beau jour il arriva
taxi taxi taximètre
dans les déserts d'Arabie
taxi taxi taxi cuit

il y faisait tellment chaud
taxi taxi taximètre
que sa carrossrie fondit
taxi taxi taxi cuit

et de même le châssis
taxi taxi taximètre
et tous les pneus y compris
taxi taxi taxi cuit

chauffeurs chauffeurs de taxi
taxi taxi taximètre
écoutez cette morale
taxi taxi taxi cuit

lorsque vous quittez Paris
taxi taxi taximètre
emportez un parapluie
taxi taxi taxi cuit

parapluie ou bien ombrelle
taxi taxi taximètre
un mot est bien vite dit
taxi taxi taxi cuit

LE DOIGT MAGIQUE

Roald Dahl . Quentin Blake

Monsieur et Madame Cassard habitent
la ferme à côté de la nôtre.
Les Cassard ont deux enfants, deux
garçons. Ils s'appellent Bernard
et Richard. Quelquefois, je vais
chez eux pour jouer.
Je suis une fille et j'ai
huit ans.
Bernard aussi a huit ans.
Richard a trois ans de plus.
Il a dix ans.
Quoi ?
Ah, non, c'est vrai !
Il a onze ans.
La semaine dernière, il est arrivé

quelque chose de très drôle à la famille Cassard.
Je vais essayer de vous le raconter de mon mieux.
En ce temps-là, Monsieur Cassard et ses deux garçons aimaient par-
dessus tout aller à la chasse. Tous les samedis matin, ils prenaient leurs
fusils et partaient dans les bois tirer sur des animaux et des oiseaux.
Même Bernard, qui n'a que huit ans, avait un fusil à lui.
Je déteste la chasse. Ah ! Qu'est-ce que je la déteste ! Pour moi, c'est
injuste que des hommes et des garçons tuent des animaux rien que
pour s'amuser. J'essayais donc d'empêcher Bernard et Richard de
chasser. Chaque fois que j'allais à la ferme, je faisais de mon mieux
pour les convaincre, mais ils se moquaient simplement de moi.
Une fois, j'en parlai même un peu à Monsieur Cassard, mais il passa
près de moi comme si je n'existais pas.
Puis un samedi matin, je vis Bernard et Richard sortir des bois avec
leur père. Ils ramenaient un adorable petit daim.
Cela me rendit tellement furieuse que je me mis à leur crier après.

Les garçons rirent et me firent des grimaces. Monsieur Cassard me dit de rentrer chez moi et de me mêler de mes affaires.

Ça, ce fut le bouquet !

Je vis rouge.

Et, sans réfléchir, je fis quelque chose que j'avais décidé de ne plus jamais faire.

Je pointai le Doigt Magique sur eux !

Oh là là ! Même Madame Cassard, qui n'était pas là, fut ensorcelée. J'avais pointé le Doigt Magique sur toute la famille Cassard. Pendant des mois, je m'étais dit que je n'utiliserais plus le Doigt Magique sur quelqu'un, après ce qui était arrivé à mon professeur, la vieille Madame Rivière.

Un jour, nous étions en classe et elle nous apprenait l'orthographe.

– Lève-toi, me dit-elle, et épelle le mot chat.

– C'est facile, dis-je. C-H-A.

– Tu es une stupide petite fille ! dit Madame Rivière.

– Je ne suis pas une stupide petite fille ! m'écriai-je. Je suis une très mignonne petite fille !

– Au coin ! dit Madame Rivière.

Alors, je me mis en colère, je vis rouge et presque aussitôt, je pointai énergiquement le Doigt Magique sur Madame Rivière.

Vous devinez la suite ?

Des moustaches se mirent à pousser sur son visage. C'était de longues moustaches noires, exactement comme celles d'un chat, mais beaucoup plus grandes. Et qu'est-ce qu'elles poussaient vite ! En un clin d'œil, elles lui arrivèrent jusqu'aux oreilles !

Évidemment, comme toute la classe se mit à hurler de rire, Madame Rivière demanda :

– Vous voulez bien me dire ce que vous trouvez de si amusant ?

Et lorsqu'elle se retourna pour écrire quelque chose au tableau, nous vîmes qu'une queue lui avait également poussé ! Une énorme queue touffue !

Je ne vais pas commencer à vous raconter la suite mais, si l'un de vous me demande si Madame Rivière est redevenue normale, la réponse est non. Elle ne le sera jamais plus.

Depuis toujours, je sais me servir du Doigt Magique.

Je ne peux pas vous dire comment j'y arrive, parce que je ne le sais pas moi-même.

Mais cela arrive toujours quand je me mets en colère et que je vois rouge…

Alors, je me mets à bouillir, à bouillir…

Puis le bout de l'index de ma main droite commence à me picoter furieusement…

Et soudain, une sorte d'éclair jaillit en moi, un éclair rapide, quelque chose d'électrique.

Il jaillit et touche la personne qui m'a fait enrager.

Et après cela, le Doigt Magique est sur lui ou sur elle, et il se passe des trucs.

Eh bien ! Le Doigt Magique était à présent sur la famille Cassard tout entière et il n'y avait pas moyen d'y échapper.

Je courus chez moi et j'attendis que les trucs commencent.

Ils arrivèrent vite.

Ces trucs, je vais vous les raconter. Bernard et Richard m'ont tout dit, le lendemain matin, quand cela s'est terminé.

L'après-midi du jour où j'avais pointé le Doigt Magique sur la famille Cassard, Monsieur Cassard, Bernard et Richard repartirent à la chasse. Cette fois-ci, ils poursuivirent des canards sauvages, aussi ils prirent le chemin du lac.

La première heure, ils tuèrent dix oiseaux.

L'heure suivante, six de plus.

– Quelle journée ! s'écria Monsieur Cassard. La meilleure de ma vie de chasseur !

Il était fou de joie.

À ce moment-là, quatre autres canards sauvages volèrent au-dessus d'eux.

Ils volaient très bas. C'était facile de les atteindre.

Pan ! Pan ! Pan ! Pan ! firent les fusils.

Les canards continuèrent à voler.

– Raté ! dit Monsieur Cassard. Ça, c'est drôle !

Alors, à la surprise de tous, les quatre canards firent demi-tour
et volèrent droit sur les fusils.

– Hé ! dit Monsieur Cassard. Qu'est-ce qu'ils fabriquent ? Cette fois,
vraiment, ils le cherchent !

Il leur tira encore dessus. Les garçons aussi. Et à nouveau, raté !

La figure de Monsieur Cassard devint cramoisie.

– C'est la lumière, dit-il, la nuit tombe, on ne voit pas bien. Rentrons
à la maison.

Et ils rebroussèrent chemin, en emportant les seize oiseaux qu'ils
avaient tués avant.

Mais les quatre canards ne semblaient pas vouloir les laisser
tranquilles. Ils commencèrent à voler en cercles autour
des chasseurs qui s'éloignaient.

Monsieur Cassard n'apprécia pas du tout.

– Partez ! cria-t-il.

Et il tira sur eux plusieurs fois… sans
résultat. Impossible de les toucher.

Sur le chemin du retour, les quatre
canards tournèrent dans le ciel,
au-dessus d'eux, et rien ne put
les chasser.

Tard dans la nuit, après que
Bernard et Richard furent allés
au lit, Monsieur Cassard sortit
chercher du bois pour le feu.

Il traversait la cour quand,
soudain, il entendit le cri
d'un canard sauvage dans
le ciel.

Il s'arrêta et leva les yeux.
La nuit était très calme.
Il y avait une mince lune
jaune par-dessus les
arbres, sur la colline, et le
ciel était rempli d'étoiles.
Monsieur Cassard entendit

alors un bruit d'ailes, très bas, au-dessus de sa tête, et il aperçut les quatre canards, noirs dans le ciel noir. Ils tournoyaient en vol serré autour de la maison.

Monsieur Cassard oublia le bois et retourna précipitamment à l'intérieur de la maison. À présent, il était complètement terrifié. Ce qui se passait ne lui plaisait pas du tout. Mais il n'en parla pas à Madame Cassard.

Il lui dit seulement :

– Viens, allons au lit. Je suis fatigué.

Et ils allèrent se coucher.

Au matin, Monsieur Cassard s'éveilla le premier.

Il était sur le point de tendre la main vers sa montre pour regarder l'heure, mais sa main ne semblait pas vouloir se tendre.

– Voilà qui est drôle, dit-il. Où est ma main ?

Il restait immobile, se demandant ce qui se passait.

Se serait-il blessé cette main ?

Il essaya avec son autre main.

Elle non plus ne voulait pas se tendre.

Il se redressa.

Puis, pour la première fois, il vit à quoi il ressemblait.

Il poussa un cri et bondit hors du lit.

Madame Cassard s'éveilla. Lorsqu'elle aperçut Monsieur Cassard qui se tenait debout, sur le sol, elle poussa un cri, elle aussi.

Car maintenant, c'était un tout petit homme !

Il arrivait peut-être à la hauteur d'un siège de chaise, guère plus haut !

Et, à la place des bras, il avait deux ailes de canard !

– Mais… mais… mais…, s'exclama Madame Cassard dont la figure devint cramoisie. Que t'arrive-t-il, mon ami ?

– Tu veux dire qu'est-ce qui nous arrive à tous les deux ? hurla Monsieur Cassard.

À son tour, Madame Cassard bondit hors du lit.

Elle courut se regarder dans la glace. Mais elle n'était pas assez grande pour se voir. Elle était encore plus petite que Monsieur Cassard et elle avait également des ailes à la place des bras.

– Oooh ! Oooh ! sanglota Madame Cassard.

– C'est de la sorcellerie ! s'écria Monsieur Cassard.

Tous deux se mirent à courir autour de la pièce en battant des ailes.

Une minute plus tard, Bernard et Richard entrèrent en coup de vent. La même chose leur était arrivée. Ils avaient des ailes, et pas de bras. Ils étaient vraiment minuscules, à peu près comme des rouges-gorges.

– Maman ! Maman ! Maman ! pépia Bernard. Regarde, Maman ! Nous volons !

Et ils s'élevèrent en l'air.

– Redescendez tout de suite ! dit Madame Cassard. Vous êtes beaucoup trop haut !

Mais avant qu'elle ait pu dire autre chose, Bernard et Richard s'étaient envolés par la fenêtre.

Monsieur et Madame Cassard coururent vers la fenêtre et regardèrent au-dehors. Les deux minuscules garçons étaient maintenant tout là-haut dans le ciel.

Madame Cassard dit alors à son mari :

– Crois-tu que nous puissions en faire autant, mon chéri ?

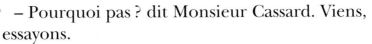

    – Pourquoi pas ? dit Monsieur Cassard. Viens, essayons.

    Monsieur Cassard se mit à battre énergiquement des ailes et, aussitôt, il s'envola.

    Puis Madame Cassard fit de même.

– Au secours ! s'écria-t-elle tandis qu'elle s'élevait. À l'aide !

– Viens, dit Monsieur Cassard. N'aie pas peur.

Et c'est ainsi qu'ils s'envolèrent par la fenêtre, montèrent tout là-haut dans le ciel et rattrapèrent vite Bernard et Richard.

Bientôt, toute la famille réunie volait en décrivant des cercles.

– Oh ! C'est formidable ! cria Richard. J'ai toujours rêvé de savoir comment ça fait d'être un oiseau !

– Tu n'as pas les ailes fatiguées, ma chérie ? demanda Monsieur Cassard à sa femme.

– Pas du tout, répondit Madame Cassard. Je pourrais continuer à voler toute ma vie !

– Hé ! Regardez en bas ! dit Bernard. Il y a quelqu'un dans notre jardin !

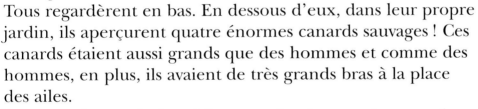

Tous regardèrent en bas. En dessous d'eux, dans leur propre jardin, ils aperçurent quatre énormes canards sauvages ! Ces canards étaient aussi grands que des hommes et comme des hommes, en plus, ils avaient de très grands bras à la place des ailes.

Les canards marchaient à la queue leu leu vers la porte de la maison des Cassard, en balançant les bras et en dressant les becs.

– Arrêtez ! cria le minuscule Monsieur Cassard, en piquant au-dessus de leurs têtes. Filez ! C'est ma maison !

Les canards levèrent les yeux en faisant coin-coin. Le premier étendit le bras, ouvrit la porte de la maison et entra. Les autres le suivirent. La porte se ferma.

Les Cassard redescendirent et s'assirent sur le mur, près de la porte. Madame Cassard se mit à pleurer.

– Oh ! Mon Dieu, mon Dieu ! sanglotait-elle. Ils ont pris notre maison. Qu'allons-nous faire ? Nous n'avons plus d'endroit où aller !

Les garçons eux-mêmes se mirent à verser quelques larmes.

– Les chats et les renards vont venir nous manger pendant la nuit ! dit Bernard.

– Je veux dormir dans mon lit ! dit Richard.

– Allons, allons, dit Monsieur Cassard. Ça ne sert à rien de pleurer. Ce n'est pas ça qui nous aidera. Vous voulez que je vous dise ce que nous allons faire ?

– Quoi ?

Monsieur Cassard les regarda et sourit.

– Nous allons bâtir un nid.

– Un nid ! dirent-ils. Est-ce que nous y arriverons ?

– Nous devons bien, dit Monsieur Cassard. Il nous faut un endroit où coucher. Suivez-moi.

Ils volèrent jusqu'à un grand arbre et Monsieur Cassard choisit de bâtir le nid au sommet.

– Maintenant, il nous faut du bois, dit-il. Plein, plein de petit bois. Partez en chercher et ramenez-le ici.

– Mais nous n'avons pas de mains ! dit Bernard.

– Alors, servez-vous de vos bouches !

Madame Cassard et les enfants s'envolèrent. Bientôt, ils étaient de retour avec des brindilles à la bouche.

Monsieur Cassard les prit et se mit à bâtir le nid.

– Il en faut d'autres, dit-il. Plein, plein d'autres. Repartez en chercher.

Le nid commença à grandir. Monsieur Cassard arrivait très bien
à assembler les brindilles.

Au bout d'un moment, il dit :

– Il y a assez de petit bois. Maintenant, je veux des feuilles, des plumes
et des trucs comme ça pour que l'intérieur soit bien douillet.

Ils continuèrent à bâtir le nid. Cela prit longtemps. Mais à la fin, le nid
était terminé.

– Essayez-le, dit Monsieur Cassard en se reculant d'un bond.

Il était ravi de son travail.

– Oh ! C'est charmant ! s'écria Madame Cassard en entrant et en
s'asseyant. J'ai l'impression que je pourrais pondre un œuf d'un
moment à l'autre !

Les autres la rejoignirent.

– Comme c'est chaud ! dit Richard.

– Qu'est-ce que c'est amusant de vivre si haut ! dit Bernard. Nous
sommes petits, mais ici, personne ne peut nous faire de mal.

– Et la nourriture ? demanda Madame Cassard. Nous n'avons rien
mangé de toute la journée.

– C'est vrai, dit Monsieur Cassard. Volons jusqu'à la maison, entrons
par une fenêtre ouverte et, quand les canards ne regarderont pas,
prenons la boîte à biscuits.

– Oh, mais ces vilains gros canards vont nous attaquer à coups de bec !
Ils vont nous réduire en miettes ! s'exclama
Madame Cassard.

– Nous ferons très attention, mon amie,
dit Monsieur Cassard.

Et ils partirent.

Mais lorsqu'ils atteignirent la maison,
ils trouvèrent toutes les fenêtres et
toutes les portes fermées. Pas moyen
d'entrer.

– Regardez-moi cette horrible cane
qui fait la cuisine sur mes
fourneaux ! s'écria Madame
Cassard en volant devant
la fenêtre de la cuisine.
Quel toupet !

– Et regardez celui-ci avec mon
beau fusil ! hurla Monsieur Cassard.

– Il y en a un couché dans mon lit ! brailla Richard en regardant par la fenêtre du haut.

– Et il y en a un autre qui est en train de jouer avec mon train électrique ! cria Bernard.

– Oh ! Mon Dieu, mon Dieu ! dit Madame Cassard. Ils ont pris toute la maison ! Nous ne pourrons plus jamais y revenir. Et qu'allons-nous manger ?

– Pas question de manger des vers, dit Bernard. Plutôt mourir.

– Ni des limaces, dit Richard.

Madame Cassard prit les deux garçons sous ses ailes et les serra contre elle.

– Ne vous inquiétez pas, dit-elle. Je vous les mâcherai si menu que vous ne les sentirez même pas. De délicieuses bouillies de limaces. De délicieuses purées de vers.

– Oh, non ! s'écria Richard.

– Jamais ! dit Bernard.

– Répugnant ! dit Monsieur Cassard. Ce n'est pas parce que nous avons des ailes que nous devons manger comme des oiseaux. Mangeons plutôt des pommes. Il y en a plein sur nos arbres. Venez ! Et ils volèrent jusqu'à un pommier.

Ce n'est guère facile de manger une pomme quand on n'a pas de mains. Chaque fois qu'on essaie d'y planter les dents, elle recule. À la fin, ils arrivèrent à prendre quelques petites bouchées. Et puis, la nuit tomba et ils retournèrent se coucher dans leur nid.

Ce fut à peu près à ce moment-là que, de chez moi, je pris le téléphone pour essayer d'appeler Bernard. Je voulais voir si la famille allait bien.

– Allô, dis-je.

– Coin-coin ! dit une voix au bout du fil.

– Qui est à l'appareil ? demandai-je.

– Coin-coin !

– Bernard, dis-je, c'est toi ?

– Coin-coin-coin-coin-coin !

– Oh ! Ça suffit ! dis-je.

Alors, j'entendis un drôle de bruit, comme un oiseau en train de rire.
Je raccrochai aussitôt.

– Oh ! Ce Doigt Magique ! m'écriai-je. Qu'a-t-il fait à mes amis ?

Cette nuit-là, tandis que Monsieur et Madame Cassard essayaient
de dormir dans leur nid haut perché, un grand vent se mit à souffler.
L'arbre se balançait et tout le monde, même Monsieur Cassard,
eut peur que le nid ne tombe. Puis il commença à pleuvoir.
Il plut, il plut longtemps. L'eau inonda le nid, et tous
furent trempés comme des soupes. Oh ! Quelle nuit !
Quelle mauvaise nuit !

Enfin, arriva le matin chaud et ensoleillé.

– Eh bien, dit Madame Cassard, Dieu merci, c'est fini !
Je ne coucherai plus jamais dans un nid !

Elle se leva et regarda en bas.

– Au secours ! cria-t-elle. Regardez ! Regardez là !

– Qu'y a-t-il, mon amie ? dit Monsieur Cassard.
Il se leva et jeta un coup d'œil.
La plus grande surprise de sa vie l'attendait !
À terre, au-dessous d'eux, il y avait les quatre
énormes canards, grands comme des hommes. Trois
d'entre eux tenaient des fusils. L'un avait le fusil
de Monsieur Cassard, l'autre celui de Bernard

et le dernier celui de Richard. Les fusils étaient tous pointés sur le nid.

– Non ! Non ! crièrent ensemble Monsieur et Madame Cassard.
Ne tirez pas !

– Et pourquoi ? dit le canard qui n'avait pas de fusil. Vous tirez tout
le temps sur nous !

– Oh ! Mais ce n'est pas pareil ! dit Monsieur Cassard. Nous avons
le droit de tirer sur les canards !

– Qui vous donne ce droit ? demanda le canard.

– Nous nous le donnons nous-mêmes, dit Monsieur Cassard.

– Charmant, dit le canard. Et maintenant, nous nous donnons nous-
mêmes le droit de vous tirer dessus.

(J'aurais adoré voir la tête que faisait Monsieur Cassard !)

– Oh, je vous en prie ! cria Monsieur Cassard. Nos deux petits garçons
sont avec nous ! Vous n'allez pas tirer sur des enfants !

– Hier, vous avez tiré sur mes enfants, dit le canard. Vous avez tué six
de mes enfants.

– Je ne le ferai jamais plus ! cria Monsieur Cassard. Jamais,
jamais plus !

– Vous êtes vraiment sincère ? demanda le canard.

– Bien sûr que je suis sincère ! répondit Monsieur
Cassard. Je ne tuerai plus de canard de ma vie !

– Ce n'est pas suffisant, dit le canard. Et pour
les daims ?

– Je ferai tout ce que vous me direz si vous
abaissez vos canons ! cria Monsieur Cassard.
Je ne tirerai plus sur des canards, sur des
daims ni sur rien d'autre !

– Vous me donnez votre parole ?
dit le canard.

– Oui ! Oui ! dit Monsieur Cassard.

– Vous jetterez vos fusils ? demanda
le canard.

– Je les réduirai en miettes ! dit Monsieur Cassard. Vous n'aurez jamais
plus rien à craindre de moi ni de ma famille.

– Très bien, dit le canard. Vous pouvez descendre. Et par la même
occasion, félicitations pour le nid. Ce n'est pas mal pour un coup
d'essai.

Monsieur et Madame Cassard, Bernard et Richard sautèrent du nid
et redescendirent en voletant.

Alors, soudain, le noir complet. Ils ne virent plus rien. Une drôle
d'impression les envahit et ils entendirent un grand vent leur souffler
aux oreilles. Puis le noir qui les entourait vira au bleu, au vert,
au rouge, puis au doré, et tout à coup, ils se retrouvèrent dans leur
jardin près de leur maison sous un beau soleil éclatant. Tout était
redevenu normal.
– Nos ailes ont disparu ! s'écria Monsieur Cassard. Et nous avons
retrouvé nos bras !
– Et nous ne sommes plus minuscules ! dit Madame Cassard. Oh,
comme je suis contente !
Bernard et Richard se mirent à gambader de joie.
Puis, au-dessus de leurs têtes, ils entendirent le cri d'un canard
sauvage. Tous levèrent les yeux et virent les quatre magnifiques
oiseaux se détacher sur le ciel bleu. Ils retournaient en vol serré
vers le lac au milieu des bois.
Environ une demi-heure plus tard, j'entrai dans le jardin des Cassard.
J'étais venue voir comment les choses se déroulaient et je dois
reconnaître que je m'attendais à pire. Devant la porte, je m'arrêtai
et regardai dans la cour. Quel étrange spectacle !
Dans un coin, Monsieur Cassard était en train de réduire en miettes
les trois fusils avec un énorme marteau.
Dans un autre coin, Madame Cassard posait de jolies fleurs sur seize
petits monticules de terre. C'était, je l'appris plus tard, les tombes
des canards tués la veille.
Au milieu, il y avait Bernard et Richard, et à côté d'eux, un sac d'orge,

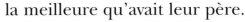

la meilleure qu'avait leur père.

Ils étaient entourés de canards, de colombes, de pigeons, de moineaux, de rouges-gorges, d'alouettes et de toutes sortes d'oiseaux que je ne connaissais pas. Les oiseaux picoraient l'orge que les garçons éparpillaient par poignées.

– Bonjour, Monsieur Cassard, dis-je.

Monsieur Cassard abaissa son marteau et me regarda.

– Je ne m'appelle plus Cassard, dit-il. En l'honneur de mes amis à plumes, j'ai changé Cassard en Canard.

– Et je suis Madame Canard, dit Madame Cassard.

– Que s'est-il passé ? demandai-je.

Ils semblaient être devenus complètement zinzin, tous les quatre.

Alors, Bernard et Richard commencèrent à me raconter toute l'histoire. Richard dit :

– Regarde ! Voici le nid ! Tu arrives à le voir ? Tout là-haut, au sommet de l'arbre ! C'est là qu'on a couché hier soir !

– Je l'ai bâti entièrement moi-même, dit fièrement Monsieur Canard. Brindille par brindille.

– Si tu ne nous crois pas, dit Madame Canard, entre dans la maison et jette un coup d'œil dans la salle de bains. C'est la pagaille.

– Ils ont rempli la baignoire à ras bord, dit Bernard. Ils ont dû nager toute la nuit ! Et il y a des plumes partout !

– Les canards aiment l'eau, dit Monsieur Canard. Je suis content qu'ils se soient bien amusés.

À ce moment-là, quelque part près du lac, on entendit un formidable Pan !

– Un coup de fusil ! m'écriai-je.

– Ça doit être Gaston Biros, dit Monsieur Canard. Lui et ses trois garçons. Ils sont féroces, ces Biros !

Soudain, je vis rouge.

Puis, je commençai à bouillir.

Ensuite, le bout de mon doigt se mit à me picoter furieusement.
La force magique m'avait à nouveau envahie.
Je me retournai et courus à toute vitesse vers le lac.
– Hé ! hurla Monsieur Canard. Qu'y a-t-il ? Où vas-tu ?
– Voir les Biros, répondis-je.
– Mais pourquoi ?
– Vous allez voir ! dis-je. Cette nuit, il y en a qui vont dormir
dans un nid !

LE CHAMEAU ET SA BOSSE

Rudyard Kipling . Etienne Delessert

Voici maintenant l'histoire suivante qui raconte comment le Chameau a eu sa bosse.

Au commencement des temps, quand le monde était tout neuf et tout ce qui s'ensuit, et que les Animaux commençaient tout juste à travailler pour l'Homme, il y avait un Chameau qui vivait au beau milieu d'un Désert Hurlant parce qu'il ne voulait pas travailler ; d'ailleurs, c'était un Hurleur lui-même.

Alors, il se nourrissait de bouts de bois, d'épines, de tamarisques, d'euphorbes et d'un tas de choses piquantes, tout ça dans l'oisiveté la plus mortelle. Et quand on lui adressait la parole, il disait : « Bof ! » Exactement « Bof », et rien de plus.

Alors le Cheval vint le voir, le lundi matin, avec une selle sur le dos et un mors dans la bouche, et il lui dit :

– Chameau, ô Chameau, viens avec nous et trotte comme nous autres !

– Bof ! dit le Chameau.

Et le Cheval s'en fut le dire à l'Homme.

Alors le Chien vint à lui, un bâton dans la gueule, et lui dit :

– Chameau, ô Chameau, viens avec nous, va chercher et rapporte comme nous autres !

– Bof ! dit le Chameau.

Et le Chien s'en fut le dire à l'Homme.

Alors le Bœuf vint à lui, le joug sur la nuque, et lui dit :

– Chameau, ô Chameau, viens labourer comme nous autres !

– Bof ! dit le Chameau.

Et le Bœuf s'en fut le dire à l'Homme.

À la fin de la journée, l'Homme appela le Cheval, et le Chien, et le Bœuf, et leur dit :

– Vous Trois, ô Vous Trois, je suis bien désolé pour vous, avec ce monde tout neuf et tout ce qui s'ensuit : mais cette Chose-qui-dit-Bof, dans le Désert, est incapable de travailler, sans cela elle serait déjà ici. Je vais donc la laisser tranquille, et vous, vous travaillerez deux fois plus, pour compenser.

Cela fit que les Trois ne furent pas contents du tout, avec ce monde tout neuf et tout ce qui s'ensuit. Ils tinrent conseil à la limite du Désert, discutèrent, palabrèrent, blablatèrent… Le Chameau arriva en mâchant ses herbes, et plus que jamais dans une oisiveté mortelle. Il rit en les regardant, puis il dit : « Bof ! » et repartit.

Mais voilà que passa le Génie qui s'occupe de Tous les Déserts. Il passait en roulant dans un nuage de poussière, car c'est ainsi que voyagent les Génies, parce que c'est magique. Et il s'arrêta pour discuter et blablater avec les Trois.

– Génie de Tous les Déserts, dit le Cheval, est-il juste qu'une créature soit paresseuse dans ce monde tout neuf et tout ce qui s'ensuit ?

– Certainement non, dit le Génie.

– Eh bien ! dit le Cheval, il y a quelqu'un, au beau milieu de ton Désert Hurlant (et c'est un Hurleur lui-même), quelqu'un avec un long cou et de longues jambes, qui n'en a pas fichu une rame depuis lundi matin. Il ne veut pas trotter.

– Hou ! dit le Génie en sifflant. Mais c'est mon Chameau, par tout l'or de l'Arabie ! Et que dit-il quand on lui parle de ça ?

– Il dit « Bof ! » dit le Chien. Et il ne veut pas aller chercher ni rapporter.

– Et… dit-il autre chose ?

– Seulement « Bof ! » dit le Bœuf. Et il ne veut pas labourer.

– Très bien, dit le Génie. Je vais le « boffer » comme il faut, si seulement vous voulez bien attendre une minute !

Le Génie s'enveloppa dans son manteau de poussière, survola le Désert et trouva le Chameau, toujours dans l'oisiveté la plus mortelle, qui regardait son propre reflet dans une flaque d'eau.

– Mon cher faiseur de bulles, dit le Génie, qu'est-ce que j'entends dire à ton sujet ? Il paraît que tu ne travailles pas, dans ce monde tout neuf et tout ce qui s'ensuit ?

– Bof ! dit le Chameau.

Le Génie s'assit par terre, le menton dans la main et commença à méditer une grande Magie, pendant que le Chameau continuait à se regarder dans la flaque d'eau.

– Depuis lundi matin, dit le Génie, tu donnes du travail supplémentaire aux Trois Animaux, à cause de ton oisiveté mortelle !

Et il continua à méditer des Magies, son menton dans la main.

– Bof ! dit le Chameau.

– Si j'étais toi, je ne répéterais pas ça, dit le Génie : tu pourrais le dire une fois de trop ! Faiseur de bulles, je veux que tu travailles !

Alors le Chameau dit encore une fois :

– Bof !

Mais à peine l'avait-il dit qu'il vit son dos, dont il était si fier, s'enfler, s'enfler et devenir une grosse bosse ballante.

– Tu vois ça ? dit le Génie. C'est ton propre « Bof ! » que tu t'es mis sur le dos en refusant de travailler. Nous sommes aujourd'hui jeudi, tu n'as rien fait depuis lundi, quand le travail a commencé… À présent, tu vas te mettre à l'ouvrage.

– Mais comment le pourrais-je, dit le Chameau, avec ce « Bof » sur le dos ?

– C'est fait exprès, dit le Génie, parce que tu as manqué ces trois premiers jours. Dorénavant, tu seras capable de travailler trois jours pleins sans manger, parce que tu vivras sur ton « Bof ! » Tu ne diras pas que je n'ai rien fait pour toi ! Maintenant, sors du Désert, va rejoindre les Trois et tâche d'apprendre à te conduire. En route !

Alors le Chameau se mit en route, avec son « Bof » et tout ce qui s'ensuit, et il s'en fut rejoindre les Trois. Depuis ce jour-là, il porte toujours un « Bof » sur le dos (nous disons une « bosse » aujourd'hui, pour ne pas le vexer), mais il n'a jamais rattrapé les trois jours de travail qu'il a manqués au commencement du monde, et il n'a jamais pu apprendre à se conduire.

(Extrait de *Histoires comme ça*)

LA PATTE DU CHAT

Marcel Aymé
Claudine et Roland Sabatier

Le soir, comme ils rentraient des champs, les parents trouvent
le chat sur la margelle du puits où il était occupé à faire sa toilette.
– Allons, dirent-ils, voilà le chat qui passe sa patte par-dessus son oreille.
Il va encore pleuvoir demain.
En effet, le lendemain, la pluie tomba toute la journée. Il ne fallait pas
penser à aller aux champs. Fâchés de ne pouvoir mettre le nez dehors,
les parents étaient de mauvaise humeur et peu patients avec leurs deux
filles. Delphine, l'aînée, et Marinette, la plus blonde, jouaient dans la
cuisine à pigeon vole, aux osselets, au pendu, à la poupée et à loup-y-es-tu.
– Toujours jouer, grommelaient les parents,
toujours s'amuser. Des grandes filles comme ça.
Vous verrez que quand elles auront dix ans,
elles joueront encore. Au lieu de s'occuper à un
ouvrage de couture ou d'écrire à leur oncle Alfred.
Ce serait pourtant bien plus utile.
Quand ils en avaient fini avec les petites, les
parents s'en prenaient au chat qui, assis sur la fenêtre, regardait pleuvoir.
– C'est comme celui-là. Il n'en fait pas lourd non plus dans une journée.
Il ne manque pourtant pas de souris qui trottent de la cave au grenier.
Mais Monsieur aime mieux se laisser nourrir à ne rien faire. C'est moins
fatigant.
– Vous trouvez toujours à redire à tout, répondait le chat. La journée est
faite pour dormir et pour se distraire. La nuit, quand je galope à travers
le grenier, vous n'êtes pas derrière moi pour me faire des compliments.
– C'est bon. Tu as toujours raison, quoi.
Vers la fin de l'après-midi, la pluie continuait à tomber et, pendant que
les parents étaient occupés à l'écurie, les petites se mirent à jouer autour
de la table.
– Vous ne devriez pas jouer à ça, dit le chat. Ce qui va arriver, c'est que
vous allez encore casser quelque chose. Et les parents vont crier.
– Si on t'écoutait, répondit Delphine, on ne jouerait jamais à rien.
– C'est vrai, approuva Marinette. Avec Alphonse (c'était le nom qu'elles

avaient donné au chat), il faudrait passer son temps à dormir.

Alphonse n'insista pas et les petites se remirent à courir. Au milieu de la table, il y avait un plat en faïence qui était dans la maison depuis cent ans et auquel les parents tenaient beaucoup.

En courant, Delphine et Marinette empoignèrent un pied de table, qu'elles soulevèrent sans y penser. Le plat en faïence glissa doucement et tomba sur le carrelage où il fit plusieurs morceaux.

Le chat, toujours assis sur la fenêtre, ne tourna même pas la tête.

Les petites ne pensaient plus à courir et avaient très chaud aux oreilles.

– Alphonse, il y a le plat en faïence qui vient de se casser. Qu'est-ce qu'on va faire ?

– Ramassez les débris et allez les jeter dans un fossé. Les parents ne s'apercevront peut-être de rien. Mais non, il est trop tard. Les voilà qui rentrent.

En voyant les morceaux du plat en faïence, les parents furent si en colère qu'ils se mirent à sauter comme des puces au travers de la cuisine.

– Malheureuses ! criaient-ils, un plat qui était dans la famille depuis cent ans ! Et vous l'avez mis en morceaux ! Vous n'en ferez jamais d'autres, deux monstres que vous êtes. Mais vous serez punies. Défense de jouer et au pain sec !

Jugeant la punition trop douce, les parents s'accordèrent un temps de réflexion et reprirent, en regardant les petites avec des sourires cruels :

– Non, pas de pain sec. Mais demain, s'il ne pleut pas…demain… Ha ! Ha ! Ha ! Demain, vous irez voir la tante Mélina !

Delphine et Marinette étaient devenues très pâles et joignaient les mains avec des yeux suppliants.

– Pas de prière qui tienne ! S'il ne pleut pas, vous irez chez la tante Mélina lui porter un pot de confiture.

La tante Mélina était une très vieille et très méchante femme, qui avait une bouche sans dents et un menton plein de barbe. Quand les petites allaient la voir dans son village, elle ne se lassait pas de les embrasser, ce qui n'était déjà pas très agréable, à cause de la barbe, et elle en profitait pour les pincer et leur tirer les cheveux. Son plaisir était de les obliger à manger d'un pain et d'un fromage qu'elle avait mis à moisir en

prévision de leur visite. En outre, la tante Mélina trouvait que ses deux petites nièces lui ressemblaient beaucoup et affirmait qu'avant la fin de l'année elles seraient devenues ses fidèles portraits, ce qui était effrayant à penser.

– Pauvres enfants, soupira le chat. Pour un vieux plat déjà ébréché, c'est être bien sévère.

– De quoi te mêles-tu ? Mais, puisque tu les défends, c'est peut-être que tu les as aidées à casser le plat ?

– Oh, non ! dirent les petites. Alphonse n'a pas quitté la fenêtre.

– Silence ! Ah ! Vous êtes bien tous les mêmes. Vous vous soutenez tous. Il n'y en a pas un pour racheter l'autre. Un chat qui passe ses journées à dormir…

– Puisque vous le prenez sur ce ton-là, dit le chat, j'aime mieux m'en aller. Marinette, ouvre-moi la fenêtre.

Marinette ouvrit la fenêtre et le chat sauta dans la cour. La pluie venait juste de cesser et un vent léger balayait les nuages.

– Le ciel est en train de se ressuyer, firent observer les parents avec bonne humeur. Demain, vous aurez un temps superbe pour aller chez la tante Mélina. C'est une chance. Allons, assez pleuré ! Ce n'est pas ça qui raccommodera le plat. Tenez, allez plutôt chercher du bois dans la remise.

Dans la remise, les petites retrouvèrent le chat installé sur la pile de bois. À travers ses larmes, Delphine le regardait faire sa toilette.

– Alphonse, lui dit-elle avec un sourire joyeux qui étonna sa sœur.

– Quoi donc, ma petite fille ?

– Je pense à quelque chose. Demain, si tu voulais, on n'irait pas chez la tante Mélina.

– Je ne demande pas mieux, mais tout ce que je peux dire aux parents n'empêchera rien, malheureusement.

– Justement, tu n'aurais pas besoin des parents. Tu sais ce qu'ils ont dit ? Qu'on irait chez la tante Mélina s'il ne pleuvait pas.

– Alors ?

– Eh bien! tu n'aurais qu'à passer ta patte derrière ton oreille. Il pleuvrait demain et on n'irait pas chez la tante Mélina.

– Tiens, c'est vrai, dit le chat, je n'y aurais pas pensé. Ma foi, c'est une bonne idée.

Il se mit aussitôt à passer la patte

derrière son oreille. Il la passa plus de cinquante fois.

– Cette nuit, vous pourrez dormir tranquillement. Il pleuvra demain à ne pas mettre un chien dehors.

Pendant le dîner, les parents parlèrent beaucoup de la tante Mélina. Ils avaient déjà préparé le pot de confiture qu'ils lui destinaient. Les petites avaient du mal à garder leur sérieux et, plusieurs fois, en rencontrant le regard de sa sœur, Marinette fit semblant de s'étrangler pour dissimuler qu'elle riait. Quand vint le moment d'aller se coucher, les parents mirent le nez à la fenêtre.

– Pour une belle nuit, dirent-ils, c'est une belle nuit. On n'a peut-être jamais tant vu d'étoiles au ciel. Demain, il fera bon d'aller sur les routes.

Mais le lendemain, le temps était gris et, de bonne heure, la pluie se mit à tomber.

– Ce n'est rien, disaient les parents, ça ne peut pas durer. Et ils firent mettre aux petites leur robe du dimanche et un ruban rose dans les cheveux. Mais il plut toute la matinée et l'après-midi jusqu'à la tombée du soir. Il avait bien fallu ôter les robes du dimanche et les rubans roses. Pourtant, les parents restaient de bonne humeur.

– Ce n'est que partie remise. La tante Mélina, vous irez la voir demain. Le temps commence à s'éclaircir. En plein mois de mai, ce serait quand même bien étonnant s'il pleuvait trois jours d'affilée.

Ce soir-là, en faisant sa toilette, le chat passa encore la patte derrière son oreille et le lendemain fut jour de pluie. Pas plus que la veille, il ne pouvait être question d'envoyer les petites chez la tante Mélina. Les parents commençaient à être de mauvaise humeur. À l'ennui de voir la punition retardée par le mauvais temps s'ajoutait celui de ne pas pouvoir travailler aux champs. Pour un rien, ils s'emportaient contre leurs filles et criaient qu'elles n'étaient bonnes qu'à casser des plats.

– Une visite à la tante Mélina vous fera du bien, ajoutaient-ils. Au premier jour de beau temps, vous y filerez depuis le grand matin. Dans un moment où leur colère tournait à l'exaspération, ils tombèrent sur le chat, l'un à coups de balai, l'autre à coups de sabot, en le traitant d'inutile et de fainéant.

– Oh ! Oh ! dit le chat, vous êtes plus méchants que je ne pensais. Vous m'avez battu sans raison, mais, parole de chat, vous vous repentirez.

Sans cet incident, provoqué par les parents, le chat se fût bientôt lassé de faire pleuvoir, car il aimait à grimper aux arbres, à courir par les champs et par les bois, et il trouvait excessif de se condamner à ne plus sortir pour éviter à ses amies l'ennui d'une visite à la tante Mélina. Mais il gardait des coups de sabot et des coups de balai un souvenir si vif que les petites n'eurent plus besoin de le prier pour qu'il passât sa patte derrière son oreille. Il en faisait désormais une affaire personnelle. Pendant huit jours d'affilée, il plut sans arrêt, du matin au soir. Les parents, obligés de rester à la maison et voyant déjà leurs récoltes pourrir sur pied, ne décoléraient plus. Ils avaient oublié le plat de faïence et la visite à la tante Mélina, mais, peu à peu, ils se mirent à regarder le chat de travers.

À chaque instant, ils tenaient à voix basse de longs conciliabules dont personne ne put deviner le secret. Un matin, de bonne heure, on était au huitième jour de pluie, et les parents se préparaient à aller à la gare, malgré le mauvais temps, expédier des sacs de pommes de terre à la ville. En se levant, Delphine et Marinette les trouvèrent dans la cuisine occupés à coudre un sac. Sur la table, il y avait une grosse pierre qui pesait au moins trois livres. Aux questions que firent les petites, ils répondirent, avec un air un peu embarrassé, qu'il s'agissait d'un envoi à joindre aux sacs de pommes de terre. Là-dessus, le chat fit son entrée dans la cuisine et salua tout le monde poliment.

– Alphonse, lui dirent les parents, tu as un bon bol de lait frais qui t'attend près du fourneau.

– Je vous remercie, parents, vous êtes bien aimables, dit le chat, un peu surpris de ces bons procédés auxquels il n'était pas habitué.

Pendant qu'il buvait son bol de lait frais, les parents le saisirent chacun par deux pattes, le firent entrer dans le sac la tête la première et, après y avoir introduit la grosse pierre de trois livres, fermèrent l'ouverture avec une forte ficelle.

– Qu'est-ce qui vous prend ? criait le chat en se débattant à l'intérieur du sac. Vous perdez la tête, parents !

– Il nous prend, dirent les parents, qu'on ne veut plus d'un chat qui passe sa patte derrière son oreille tous les soirs. Assez de pluie comme ça. Puisque tu aimes tant l'eau, mon garçon, tu vas en avoir tout ton saoul. Dans cinq minutes, tu feras ta toilette au fond de la rivière.

Delphine et Marinette se mirent à crier qu'elles ne laisseraient pas jeter Alphonse à la rivière. Les parents criaient que rien ne saurait les empêcher de noyer une sale bête qui faisait pleuvoir. Alphonse miaulait et se démenait dans sa prison comme un furieux. Marinette l'embrassait à travers la toile du sac et Delphine suppliait à genoux qu'on laissât la vie à leur chat.

– Non, non ! répondaient les parents avec des voix d'ogre, pas de pitié pour les mauvais chats !

Soudain, ils s'avisèrent qu'il était presque huit heures et qu'ils allaient arriver en retard à la gare. En hâte, ils agrafèrent leurs pèlerines, relevèrent leurs capuchons et dirent aux petites avant de quitter la cuisine :

– On n'a plus le temps d'aller à la rivière maintenant. Ce sera pour midi, à notre retour. D'ici là, ne vous avisez pas d'ouvrir le sac. Si jamais Alphonse n'était pas là à midi, vous partiriez aussitôt chez la tante Mélina pour six mois et peut-être pour la vie.

Les parents ne furent pas plus tôt sur la route que Delphine et Marinette dénouèrent la ficelle du sac.

Le chat passa la tête par l'ouverture et leur dit :

– Petites, j'ai toujours pensé que vous aviez des cœurs d'or. Mais je serais un bien triste chat si j'acceptais, pour me sauver, de vous voir passer six mois et peut-être plus chez la tante Mélina. À ce prix-là, j'aime cent fois mieux être jeté à la rivière.

– La tante Mélina n'est pas si méchante qu'on le dit et six mois seront vite passés.

Mais le chat ne voulut rien entendre et, pour bien marquer que sa résolution était prise, il rentra sa tête dans le sac. Pendant que Delphine essayait encore de le persuader, Marinette sortit dans la cour et alla demander conseil au canard qui barbotait sous la pluie, au milieu d'une flaque d'eau. C'était un canard avisé et qui avait beaucoup de sérieux. Pour mieux réfléchir, il cacha sa tête sous son aile.

– J'ai beau me creuser la cervelle, dit-il enfin, je ne vois pas le moyen de décider Alphonse à sortir de son sac. Je le connais, il est entêté. Si on le fait sortir de force, rien ne pourra l'empêcher de se présenter aux parents à leur retour. Sans compter que je lui donne entièrement raison. Pour ma part, je ne vivrais pas en paix avec ma conscience si vous étiez obligées, par ma faute, d'obéir à la tante Mélina.

– Et nous, alors ? Si Alphonse est noyé, est-ce que notre conscience ne nous fera pas de reproches ?

– Bien sûr, dit le canard, bien sûr. Il faudrait trouver quelque chose qui arrange tout. Mais j'ai beau chercher, je ne vois vraiment rien.

Marinette eut l'idée de consulter les bêtes de la ferme et, pour ne pas perdre de temps, elle décida de faire entrer tout ce monde dans la cuisine. Le cheval, le chien, les bœufs, les vaches, le cochon, les volailles vinrent s'asseoir chacun à la place que lui désignaient les petites.

Le chat, qui se trouvait au milieu du cercle ainsi formé, consentit à sortir la tête du sac, et le canard, qui se tenait auprès de lui, prit la parole pour mettre les bêtes au courant de la situation. Quand il eut fini, chacun se mit à réfléchir en silence.

– Quelqu'un a-t-il une idée ? demanda le canard.

– Moi, répondit le cochon. Voilà. À midi, quand les parents rentreront, je leur parlerai. Je leur ferai honte d'avoir eu d'aussi mauvaises pensées. Je leur expliquerai que la vie des bêtes est sacrée et qu'ils commettraient un crime affreux en jetant Alphonse à la rivière. Ils me comprendront sûrement.

Le canard hocha la tête avec sympathie, mais n'eut pas l'air convaincu. Dans l'esprit des parents, le cochon était promis au saloir et ses raisons ne pouvaient pas être d'un grand poids.

– Quelqu'un d'autre a-t-il une idée ?

– Moi, dit le chien. Vous n'aurez qu'à me laisser faire. Quand les parents emporteront le sac, je leur mordrai les mollets jusqu'à ce qu'ils aient délivré le chat.

L'idée parut bonne, mais Delphine et Marinette, quoiqu'un peu tentées, ne voulaient pas laisser mordre les mollets de leurs parents.

– D'ailleurs, fit observer une vache, le chien est trop obéissant pour oser s'en prendre aux parents.

– C'est vrai, soupira le chien, je suis trop obéissant.

– Il y aurait une chose bien plus simple, dit un bœuf blanc. Alphonse n'a qu'à sortir du sac et on mettra une bûche de bois à sa place.

Les paroles du bœuf furent accueillies par une rumeur d'admiration, mais le chat secoua la tête.

– Impossible. Les parents s'apercevront que dans le sac rien ne bouge, rien ne parle ni ne respire et ils auront tôt fait de découvrir la vérité.

Il fallut convenir qu'Alphonse avait raison. Les bêtes en furent un peu découragées. Dans le silence qui suivit, le cheval prit la parole. C'était un vieux cheval pelé, tremblant sur ses jambes, et que les parents n'utilisaient plus. Il était question de le vendre pour la boucherie chevaline.

– Je n'ai plus longtemps à vivre, dit-il. Tant qu'à finir mes jours, il vaut mieux que ce soit pour quelque chose d'utile. Alphonse est jeune. Alphonse a encore un bel avenir de chat. Il est donc bien naturel que je prenne sa place dans le sac.

Tout le monde se montra très touché de la proposition du cheval. Alphonse était si ému qu'il sortit du sac et alla se frotter à ses jambes en faisant le gros dos.

– Tu es le meilleur des amis et la plus généreuse des bêtes, dit-il au vieux cheval. Si j'ai la chance de n'être pas noyé aujourd'hui, je n'oublierai jamais le sacrifice que tu as voulu faire pour moi et c'est du fond du cœur que je te remercie.

Delphine et Marinette se mirent à renifler et le cochon qui, lui aussi, avait une très belle âme éclata en sanglots. Le chat s'essuya les yeux avec sa patte et poursuivit :

– Malheureusement, ce que tu me proposes là est impossible, et je le regrette, car j'étais prêt à accepter une offre qui m'est faite de si bonne amitié. Mais je tiens juste dans le sac et il ne peut être question pour toi de prendre ma place. Ta tête n'entrerait même pas tout entière.

Il devint aussitôt évident pour les petites et pour toutes les bêtes que la substitution était impossible. À côté d'Alphonse le vieux cheval faisait figure de géant. Un coq, qui avait peu de manières, trouva le rapprochement comique et se permit d'en rire bruyamment.

– Silence ! lui dit le canard. Nous n'avons pas le cœur à rire et je croyais que vous l'aviez compris. Mais vous n'êtes qu'un galopin. Faites-nous donc le plaisir de prendre la porte.

– Dites donc, vous, répliqua le coq, mêlez-vous de vos affaires ! Est-ce que je vous demande l'heure qu'il est ?

— Mon Dieu, qu'il est donc vulgaire, murmura le cochon.

— À la porte ! se mirent à crier toutes les bêtes. À la porte, le coq !
À la porte, le vulgaire ! À la porte !

Le coq, la crête très rouge, traversa la cuisine sous les huées et sortit en jurant qu'il se vengerait. Comme la pluie tombait, il alla se réfugier dans la remise. Au bout de quelques minutes, Marinette y vint à son tour et, avec beaucoup de soin, choisit une bûche dans la pile de bois.

— Je pourrais peut-être t'aider à trouver ce que tu cherches, proposa le coq d'une voix aimable.

— Oh, non ! Je cherche une bûche qui ait une forme… enfin, une forme.

— Une forme de chat, quoi. Mais comme le disait Alphonse, les parents verront bien que la bûche ne bouge pas.

— Justement non, répondit Marinette. Le canard a eu l'idée de…

Ayant entendu dire à la cuisine qu'il fallait se méfier du coq et craignant d'avoir eu déjà la langue trop longue, Marinette en resta là et quitta la remise avec la bûche qu'elle venait de choisir. Il la vit courir sous la pluie et entrer dans la cuisine. Peu après, Delphine sortit avec le chat et, lui ayant ouvert la porte de la grange, l'attendit sur le seuil. Le coq ouvrait des yeux ronds et essayait en vain de comprendre ce qui se passait. De temps en temps, Delphine s'approchait de la fenêtre de la cuisine et demandait l'heure d'une voix anxieuse.

— Midi moins vingt, répondit Marinette la première fois. Midi moins dix… Midi moins cinq…

Le chat ne reparaissait pas.

À l'exception du canard, toutes les bêtes avaient évacué la cuisine et gagné un abri.

— Quelle heure ?

— Midi. Tout est perdu. On dirait… Tu entends ? Le bruit d'une voiture. Voilà les parents qui rentrent.

— Tant pis, dit Delphine. Je vais enfermer Alphonse dans la grange. Après tout, on ne mourra pas d'aller passer six mois chez la tante Mélina. Elle allongeait le bras pour fermer la porte, mais Alphonse apparut au seuil, tenant entre ses dents une souris vivante. La voiture des parents, qui conduisaient à toute bride, venait de surgir au bout de la route. Le chat et Delphine à sa suite se précipitèrent à la cuisine.

Marinette ouvrit la gueule du sac où elle avait déjà placé la bûche, enveloppée de chiffons pour lui donner plus de moelleux. Alphonse y laissa tomber la souris qu'il tenait par la peau du dos et le sac fut aussitôt refermé. La voiture des parents arrivait au bout du jardin.

– Souris, dit le canard en se penchant sur le sac, le chat a eu la bonté de te laisser la vie, mais c'est à une condition. M'entends-tu ?

– Oui, j'entends, répondit une toute petite voix.

– On ne te demande qu'une chose, c'est de marcher sur la bûche de bois qui est enfermée avec toi, de façon à faire croire qu'elle remue.

– C'est facile. Et après ?

– Après il va venir des gens qui emporteront le sac pour le jeter à l'eau.

– Oui, mais alors…

– Pas de mais. Au fond du sac, il y a un petit trou. Tu pourras l'agrandir si nécessaire et quand tu entendras aboyer un chien près de toi tu t'échapperas. Mais pas avant qu'il ait aboyé, sans quoi il te tuerait. C'est compris ? Surtout, quoi qu'il arrive, ne pousse pas un cri, ne prononce pas une parole.

La voiture des parents débouchait dans la cour. Marinette cacha Alphonse dans le coffre à bois et posa le sac sur le couvercle. Pendant que les parents dételaient, le canard quitta la cuisine et les petites se frottèrent les yeux pour les avoir rouges.

– Quel vilain temps il fait, dirent les parents en entrant. La pluie a traversé nos pèlerines. Quand on pense que c'est à cause de cet animal de chat !

– Si je n'étais pas enfermé dans un sac, dit le chat, j'aurais peut-être le cœur à vous plaindre.

Le chat, blotti dans le coffre à bois, se trouvait juste sous le sac d'où semblait sortir sa voix, à peine assourdie.

À l'intérieur de sa prison, la souris allait et venait sur la bûche et faisait bouger la toile du sac.

– Nous autres parents, nous ne sommes pas à plaindre. C'est bien plutôt toi qui te trouves en mauvaise posture. Mais tu ne l'as pas volé.

– Allons, parents, allons. Vous n'êtes pas aussi méchants que vous vous en donnez l'air. Laissez-moi sortir du sac et je consens à vous pardonner.

– Nous pardonnner ! Voilà qui est plus fort que tout. C'est peut-être nous qui faisons pleuvoir tous les jours depuis une semaine ?

– Oh, non ! dit le chat, vous en êtes bien incapables. Mais l'autre jour, c'est bien vous qui m'avez battu injustement. Monstres ! Bourreaux ! Sans cœur !

– Ah ! La sale bête de chat ! s'écrièrent les parents. Le voilà qui nous insulte !

Ils étaient si en colère qu'ils se mirent à taper sur le sac avec un manche à balai.

La bûche emmaillotée recevait de grands coups, et tandis que la souris, effrayée, faisait des bonds à l'intérieur du sac, Alphonse poussait des hurlements de douleur.

– As-tu ton compte, cette fois ? Et diras-tu encore que nous n'avons pas de cœur ?

– Je ne vous parle plus, répliqua Alphonse. Vous pouvez dire ce qu'il vous plaira. Je n'ouvrirai plus la bouche à de méchantes gens comme vous.

– À ton aise, mon garçon. Du reste, il est temps d'en finir. Allons, en route pour la rivière.

Les parents se saisirent du sac et, malgré les cris que poussaient les petites, sortirent de la cuisine. Le chien, qui les attendait dans la cour, se mit à les suivre avec un air de consternation qui les gêna un peu.

Comme ils passaient devant la remise, le coq les interpella :

– Alors, parents, vous allez noyer ce pauvre Alphonse ? Mais dites-moi, il doit être déjà mort. Il ne remue pas plus qu'une bûche de bois.

– C'est bien possible. Il a reçu une telle volée de coups de balai qu'il ne doit plus être bien vif.

Ce disant, les parents donnèrent un coup d'œil au sac qu'ils tenaient caché sous une pèlerine.

– Pourtant, ce n'est pas ce qui l'empêche de se donner du mouvement.

– C'est vrai, dit le coq, mais on ne l'entend pas plus que si vous aviez dans votre sac une bûche au lieu d'un chat.

– En effet, il vient de nous dire qu'il n'ouvrirait plus la bouche, même pour nous répondre.

Cette fois, le coq n'osa plus douter de la présence du chat et lui souhaita bon voyage.

Cependant, Alphonse était sorti de son coffre à bois et dansait une ronde avec les petites au milieu de la cuisine. Le canard, qui assistait à leurs ébats, ne voulait pas troubler leur joie, mais il restait soucieux à la pensée que les parents s'étaient peut-être aperçus de la substitution.

– Maintenant, dit-il, quand la sarabande se fut arrêtée, il faut songer à être prudent. Il ne s'agit pas qu'à leur retour les parents trouvent le chat dans la cuisine. Alphonse, il est temps d'aller t'installer au grenier, et souviens-toi de n'en jamais descendre dans la journée.

– Tous les soirs, dit Delphine, tu trouveras sous la remise de quoi manger et un bol de lait.

– Et dans la journée, promit Marinette, on montera au grenier pour te dire bonjour.

– Et moi, j'irai vous voir dans votre chambre. Le soir, en vous couchant, vous n'aurez qu'à laisser la fenêtre entrebâillée.

Les petites et le canard accompagnèrent le chat jusqu'à la porte de la grange. Ils y arrivèrent en même temps que la souris qui regagnait son grenier après s'être échappée du sac.

– Alors ? dit le canard.

– Je suis trempée, dit la souris. Ce retour sous la pluie n'en finissait plus. Et figurez-vous que j'ai bien failli être noyée. Le chien n'a aboyé qu'à la dernière seconde, quand les parents étaient déjà au bord de la rivière. Il s'en est fallu de rien qu'ils me jettent dans l'eau avec le sac.

– Enfin, tout s'est bien passé, dit le canard. Mais ne vous attardez pas et filez au grenier.

À leur retour, les parents trouvèrent les petites qui mettaient la table en chantant, et ils en furent choqués.

– Vraiment, la mort de ce pauvre Alphonse n'a pas l'air de vous chagriner beaucoup. Ce n'était pas la peine de crier si fort quand il est parti. Il méritait pourtant d'avoir des amis plus fidèles. Au fond, c'était une excellente bête et qui va bien nous manquer.

– On a beaucoup de peine, affirma Marinette, mais puisqu'il est mort, ma foi, il est mort. On n'y peut plus rien.

– Après tout, il a bien mérité ce qui lui est arrivé, ajouta Delphine.

– Voilà des façons de parler qui ne nous plaisent pas, grondèrent les parents. Vous êtes des enfants sans cœur. On a bien envie, ah ! oui, bien envie de vous envoyer faire un tour chez la tante Mélina.

Sur ces mots, on se mit à table, mais les parents étaient si tristes qu'ils ne pouvaient presque pas manger,

et ils disaient aux petites qui, elles, mangeaient comme quatre :

– Ce n'est pas le chagrin qui vous coupe l'appétit. Si ce pauvre Alphonse pouvait nous voir, il comprendrait où étaient ses vrais amis.

À la fin du repas, ils ne purent retenir des larmes et se mirent à sangloter dans leurs mouchoirs.

– Voyons, parents, disaient les petites, voyons, un peu de courage. Il ne faut pas se laisser aller. Ce n'est pas de pleurer qui va ressusciter Alphonse. Bien sûr, vous l'avez mis dans un sac, assommé à coups de bâton et jeté à la rivière, mais pensez que c'était pour notre bien à tous, pour rendre le soleil à nos récoltes. Soyez raisonnables. Tout à l'heure, en partant pour la rivière, vous étiez si courageux, si gais !

Tout le reste de la journée, les parents furent tristes, mais, le lendemain matin, le ciel était clair, la campagne ensoleillée, et ils ne pensaient plus guère à leur chat. Les jours suivants, ils y pensèrent encore bien moins. Le soleil était de plus en plus chaud et la besogne des champs ne leur laissait pas le temps d'un regret.

Pour les petites, elles n'avaient pas besoin de penser à Alphonse. Il ne les quittait presque pas. Profitant de l'absence des parents, il était dans la cour du matin au soir et ne se cachait qu'aux heures des repas. La nuit, il les rejoignait dans leur chambre.

Un soir qu'ils rentraient à la ferme, le coq vint à la rencontre des parents et leur dit :

– Je ne sais pas si c'est une idée, mais il me semble avoir aperçu Alphonse dans la cour.

– Ce coq est idiot, grommelèrent les parents et ils passèrent leur chemin.

Mais le lendemain, le coq vint encore à leur rencontre :

– Si Alphonse n'était pas au fond de la rivière, dit-il, je jurerais bien l'avoir vu cet après-midi jouer avec les petites.

– Il est de plus en plus idiot, avec ce pauvre Alphonse.

Ce disant, les parents considéraient le coq avec beaucoup d'attention. Ils se mirent à parler tout bas sans le quitter des yeux.

– Ce coq est une pauvre cervelle, disaient-ils, mais il a joliment bonne mine. On le voyait pourtant tous les jours et on ne s'en apercevait pas.

Le fait est qu'il est à point et qu'on ne gagnerait rien à le nourrir plus longtemps.

Le lendemain, de bon matin, le coq fut saigné au moment où il se préparait à parler d'Alphonse. On le fit cuire à la cocotte et tout le monde fut très content de lui.

Il y avait quinze jours qu'Alphonse passait pour mort et le temps était toujours aussi beau. Pas une goutte de pluie n'était encore tombée. Les parents disaient que c'était une chance et ajoutaient avec un commencement d'inquiétude :

– Il ne faudrait tout de même pas que ça dure trop longtemps. Ce serait la sécheresse. Une bonne pluie arrangerait bien les choses.

Au bout de vingt-trois jours, il n'avait toujours pas plu. La terre était si sèche que rien ne poussait plus. Les blés, les avoines, les seigles ne grandissaient pas et commençaient à jaunir.

– Encore une semaine de ce temps-là, disaient les parents, et tout sera grillé.

Ils se désolaient, regrettant tout haut la mort d'Alphonse et accusant les petites d'en être la cause.

– Si vous n'aviez pas cassé le plat de faïence, il n'y aurait jamais eu d'histoires avec le chat et il serait encore là pour nous donner de la pluie.

Le soir, après dîner, ils allaient s'asseoir dans la cour et, regardant le ciel sans nuages, ils se tordaient les mains de désespoir en criant le nom d'Alphonse. Un matin, les parents vinrent dans la chambre des petites pour les réveiller.

Le chat, qui avait passé une partie de la nuit à bavarder avec elles, était resté endormi sur le lit de Marinette. En entendant ouvrir la porte, il n'eut que le temps de se glisser sous la courtepointe.

– Il est l'heure, dirent les parents, réveillez-vous. Le soleil est déjà chaud et ce n'est pas encore aujourd'hui qu'il pleuvra… Ah ! Ça mais…

Ils s'étaient interrompus et, le cou tendu, les yeux ronds, regardaient le lit de Marinette. Alphonse, qui se croyait bien caché, n'avait pas pensé que sa queue passait hors de la courtepointe. Delphine et Marinette, encore ensommeillées, s'enfonçaient jusqu'aux cheveux sous les couvertures.

S'avançant à pas de loup, les parents, de leurs quatre mains, empoignèrent la queue du chat qui se trouva soudain suspendu.

– Ah ! Ça, mais c'est Alphonse !

– Oui, c'est moi, mais lâchez-moi, vous me faites mal. On vous expliquera.

Les parents posèrent le chat sur le lit. Delphine et Marinette furent bien obligées d'avouer ce qui s'était passé le jour de la noyade.

– C'était pour votre bien, affirma Delphine, pour vous éviter de faire mourir un pauvre chat qui ne le méritait pas.

– Vous nous avez désobéi, grondèrent les parents. Ce qui est promis est promis. Vous allez filer chez la tante Mélina.

 – Ah ! C'est comme ça ? s'écria le chat en sautant sur le rebord de la fenêtre. Eh bien ! Moi aussi, je vais chez la tante Mélina, et je pars le premier.

Comprenant qu'ils venaient d'être maladroits, les parents prièrent Alphonse de vouloir bien rester à la ferme, car il y allait de l'avenir des récoltes. Mais le chat ne voulait plus rien entendre. Enfin, après s'être laissé longtemps supplier et avoir reçu la promesse que les petites ne quitteraient pas la ferme, il consentit à rester.

Le soir de ce même jour – le plus chaud qu'on eût jamais vu – Delphine, Marinette, les parents et toutes les bêtes de la ferme formèrent un grand cercle dans la cour. Au milieu du cercle, Alphonse était assis sur un tabouret. Sans se presser, il fit d'abord sa toilette et, le moment venu, passa plus de cinquante fois sa patte derrière l'oreille. Le lendemain matin, après vingt-cinq jours de sécheresse, il tombait une bonne pluie, rafraîchissant bêtes et gens. Dans le jardin, dans les champs et dans les prés, tout se mit à pousser et à reverdir. La semaine suivante, il y eut encore un heureux événement. Ayant eu l'idée de raser sa barbe, la tante Mélina avait trouvé sans peine à se marier et s'en allait habiter avec son nouvel époux à mille kilomètres de chez les petites.

(Extrait des *Contes rouges du chat perché*)

LE TAILLEUR ET LE MANDARIN

Muriel Bloch . Mireille Vautier

C'était le tailleur le plus renommé de la capitale pour son adresse. Tout habit sorti de ses mains allait parfaitement au client, quels que fussent sa taille, sa corpulence, son âge et sa démarche.

Un jour, un mandarin le fit appeler pour lui commander une robe de cérémonie.

Après avoir pris les mesures, le tailleur demanda respectueusement au mandarin depuis combien de temps il était en fonctions.

– Quel rapport cela peut-il avoir avec la coupe de ma robe ? dit le mandarin avec humeur.

– Le rapport le plus étroit, Seigneur, répondit le tailleur. Vous savez qu'un mandarin promu de fraîche date, tout pénétré de son importance, porte la tête haute et la poitrine bombée. Nous devons en tenir compte et couper le pan de derrière plus court que celui de devant. Plus tard, nous diminuons peu à peu l'inégalité des pans, qui deviennent de même longueur quand le mandarin atteint le milieu de sa carrière. Enfin lorsque, courbé sous la fatigue de ses longs services aussi bien que sous le poids des années, il n'aspire plus qu'à rejoindre ses ancêtres au ciel, la robe doit être plus longue derrière que devant. Voilà pourquoi un tailleur qui ne connaît pas l'ancienneté des mandarins ne saurait les habiller convenablement.

(Extrait de *365 contes de la tête aux pieds*)

LA NATURE  AU FIL DE L'EAU

René Mettler

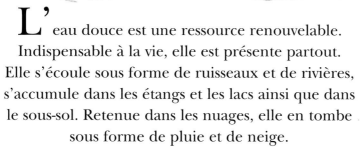

L'eau existe sous trois formes
solide : la glace – liquide : l'eau – gazeuse : la vapeur.

L'eau douce est une ressource renouvelable.
Indispensable à la vie, elle est présente partout.
Elle s'écoule sous forme de ruisseaux et de rivières,
s'accumule dans les étangs et les lacs ainsi que dans
le sous-sol. Retenue dans les nuages, elle en tombe
sous forme de pluie et de neige.
En montagne et aux pôles on la trouve dans
les neiges éternelles et les glaciers.
Les pages qui suivent vous invitent à suivre un cours d'eau, depuis
sa naissance en montagne jusqu'à son embouchure, où il va
se perdre dans la mer. Ce voyage permet de découvrir
une grande variété de paysages ainsi qu'une faune
et une flore aquatiques extrêmement riches.
Notre itinéraire commence au printemps, lors de la fonte
des neiges en montagne, et se poursuit à travers les saisons.
Il prend fin en hiver dans les estuaires et sur les côtes
où les oiseaux aquatiques se regroupent
pour passer la mauvaise saison.

LES SOURCES
au printemps

Beaucoup de cours d'eau prennent naissance en montagne. Au printemps, lors du redoux, la neige tombée pendant l'hiver se met à fondre. L'eau de fonte ruisselle sur les pentes gorgées d'eau et va grossir les ruisseaux et les torrents. L'eau qui dévale ainsi dans un lit caillouteux est froide et impétueuse, ce qui n'est guère favorable au développement de la faune et de la flore aquatiques. Néanmoins, quelques algues et insectes parviennent à s'établir.

LE RUISSEAU
au printemps

Les turbulences, créées par les petites cascades, ainsi que la fraîcheur qui règne dans le bois assurent à l'eau du jeune ruisseau une excellente oxygénation. L'écoulement tumultueux de l'eau n'est pas favorable au développement des plantes aquatiques. En revanche, mousses et algues parviennent à se fixer. Certains petits mollusques et certaines larves d'insectes sont adaptés à la vie dans les eaux à fort courant. Ils constituent une nourriture appréciable pour les oiseaux qui vivent près de l'eau.

LA PETITE RIVIÈRE
au printemps

Ayant quitté les terrains pentus, notre cours d'eau s'est un peu assagi. La petite rivière emprunte un parcours sinueux à travers les prés, comme si elle cherchait son chemin. La qualité de son eau est favorable aux truites et à d'autres espèces de poissons qui exigent une eau fraîche et bien oxygénée.
Quelques plantes aquatiques se sont fixées au fond, elles tiennent tête au courant. Une flore variée et printanière pousse sur les rives.

LA RIVIÈRE
en été

La rivière coule maintenant tranquillement dans la plaine, elle décrit de larges boucles sous le soleil d'été. Les berges sont souvent bordées d'arbres, surtout de saules et d'aulnes, qui aiment la proximité de l'eau. Près des rives où l'eau est peu profonde et le courant plus faible, on rencontre des graminées, telles les glycéries et les baldingères, ainsi que des nénuphars. La végétation du bord de l'eau abrite une multitude d'oiseaux et de mammifères.

L'ÉTANG
en été

Non loin de notre rivière tranquille se trouve un petit plan d'eau : c'est un étang. Les étangs se forment lorsque l'eau ne peut pas s'infiltrer dans un sol imperméable. Plus petit et moins profond qu'un lac, l'étang est un milieu riche en faune et en flore. De nombreux oiseaux construisent leur nid dans les roselières. Les plantes aquatiques ainsi que les nombreux insectes et mollusques qui y prospèrent offrent une nourriture abondante aux oiseaux et aux poissons.

LE MARAIS
en été

Une petite partie de la rivière que nous suivons se perd dans le pré voisin, créant ainsi un marécage. Le sol est détrempé ou couvert de petits plans d'eau peu profonds. Une végétation particulière, liée à l'eau, y est abondante. De nombreux insectes et larves vivent dans l'eau stagnante ; ils constituent des mets de choix pour les animaux et en premier lieu pour les oiseaux. Malheureusement ces zones humides, d'une grande richesse biologique, se raréfient.

L'eau de notre rivière se déverse dans le lac. L'origine des lacs est très variée.
Elle peut être naturelle ou artificielle lorsque l'homme élève des barrages pour
réguler le débit des cours d'eau ou pour alimenter les centrales hydroélectriques.
La faune et la flore diffèrent suivant la taille et le type de lac : par exemple celui
de montagne, dont l'eau est fraîche et bien oxygénée, ou celui de plaine,
dont les caractéristiques se rapprochent de celle d'un étang.

LA VILLE
en automne

Après le lac, la rivière poursuit son chemin, en passant au milieu de la ville.
Nos ancêtres ont construit bon nombre de villes au bord des voies d'eau.
Celles-ci ont servi, depuis toujours, à évacuer toutes sortes de déchets, ce qui
les a transformées, avec le temps, en de véritables égouts à ciel ouvert.
Le dépérissement de la flore et de la faune aquatiques s'est ensuivi. Depuis
l'installation de stations d'épuration, nos rivières et nos fleuves se sont régénérés.

LE CONFLUENT
en automne

Lorsque deux cours d'eau se réunissent, la largeur du nouveau lit n'équivaut pas nécessairement à l'addition des deux. En revanche, la profondeur de l'eau et sa vitesse d'écoulement augmentent. Il arrive que ce ne soit pas le plus grand des deux cours d'eau qui donne son nom à celui issu de leur réunion. L'importance que notre rivière a prise l'a rendue navigable. Le transport fluvial a engendré l'implantation d'industries au bord de l'eau.

LE FLEUVE
en hiver

Le fleuve est un cours d'eau, généralement très large, qui aboutit à la mer. Le lit du fleuve sauvage est changeant. Souvent des îlots de sable et de gravier le scindent en plusieurs bras. En hiver lors des crues il arrive que les cours d'eau quittent leur lit et inondent les alentours. La flore et la faune diffèrent entre les parties lentes ou les bras morts du fleuve, aux caractéristiques des eaux stagnantes, et les parties où le courant est rapide.

L'ESTUAIRE
en hiver

À l'approche de la mer, le fleuve s'élargit considérablement. Il arrive dans la zone de l'estuaire, qui sépare le fleuve de la mer. Deux fois par jour, les marées montantes viennent mêler leur eau salée à l'eau douce. À marée basse, de grandes vasières se découvrent, attirant de nombreux oiseaux. Les poissons qu'on rencontre sont des espèces qui s'accommodent indifféremment de l'eau douce ou de l'eau salée.

LA MER
en hiver

Notre cours d'eau, né en montagne, n'a cessé de grossir tout au long de son voyage qu'il termine en se perdant dans la mer. À l'inverse des eaux tranquilles de l'estuaire, l'eau de la mer est en éternel mouvement. De petits échassiers courent sur la plage à la recherche de micro-organismes. De nombreux canards plongeurs se rassemblent à la surface de la mer, d'où ils disparaissent subitement, partis plonger à la recherche de nourriture.

CHANSON POUR FAIRE DANSER EN ROND LES PETITS ENFANTS

Victor Hugo . Philippe Dumas

Grand bal sous le tamarin.
On danse et l'on tambourine.
Tout bas parlent, sans chagrin,
Mathurin à Mathurine,
Mathurine à Mathurin.

C'est le soir, quel joyeux train !
Chantons à pleine poitrine
Au bal plutôt qu'au lutrin.
Mathurin a Mathurine,
Mathurine a Mathurin.

Découpé comme au burin,
L'arbre, au bord de l'eau marine,
Est noir sur le ciel serein.
Mathurin a Mathurine,
Mathurine a Mathurin.

Dans le bois rôde Isengrin.
Le magister endoctrine
Un moineau pillant le grain.
Mathurin a Mathurine,
Mathurine a Mathurin.

Broutant l'herbe brin à brin,
Le lièvre a dans la narine
L'appétit du romarin.
Mathurin a Mathurine,
Mathurine a Mathurin.

Sous l'ormeau le pèlerin
Demande à la pèlerine
Un baiser pour un quatrain.
Mathurin a Mathurine,
Mathurine a Mathurin.

Derrière un pli de terrain,
Nous entendons la clarine
Du cheval d'un voiturin.
Mathurin a Mathurine,
Mathurine a Mathurin.

ÉLOÏSE À PARIS

Kay Thompson . Hilary Knight

Il faut toujours se tenir
prêt avec son appareil
photo.

Parfois, il y a quelque
chose sur la photo.

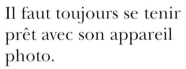

CLÉMENT APLATI

Jeff Brown . Tony Ross

Le petit déjeuner était prêt.

– Je vais réveiller les garçons, dit Mme Lamb à son mari
Georges.

À ce moment-là, Arthur, le benjamin, les appela de la
chambre qu'il partageait avec son frère Clément.

– Eh, venez voir ! Quel foin !

M. et Mme Lamb attachaient beaucoup d'importance
à la politesse et au beau langage.

– Le foin, c'est pour les chevaux, dit M. Lamb en entrant
dans la chambre. Mets-toi bien ça dans la tête.

– Excusez-moi, dit Arthur. Mais regardez !

Il montra du doigt le lit de Clément.

Sur ce lit gisait l'énorme tableau d'affichage que M. Lamb avait offert aux
garçons à Noël, pour qu'ils y épinglent des dessins, des messages et des
cartes de géographie. Il était tombé sur Clément pendant la nuit.

Mais Clément n'était pas blessé. Et si son frère ne l'avait pas réveillé par
ses cris, il aurait continué à dormir.

– Que se passe-t-il ? demanda-t-il avec entrain, sous l'énorme tableau.

M. et Mme Lamb se précipitèrent pour le dégager.

– Ciel ! s'écria Mme Lamb.

– Mon Dieu ! s'exclama Arthur. Clément est aplati !

– Comme une crêpe, ajouta M. Lamb. C'est la chose
la plus extraordinaire que j'aie jamais vue.

– Prenons notre petit déjeuner, dit Mme Lamb.
Puis j'amènerai Clément chez le docteur Dan
et nous verrons ce qu'il dira.

Au cours de l'examen, le docteur Dan demanda
à Clément :

– Comment te sens-tu ? As-tu très mal ?

– Après m'être levé, j'ai senti comme des chatouilles
pendant un moment, répondit Clément.

Mais maintenant, je me sens très bien.

– Parfait, cela se passe ainsi dans la plupart
de ces cas, dit le docteur Dan.

L'examen terminé, il déclara :

– Dire que nous, les médecins, nous avons tant d'années d'études et d'expérience. Et nous nous étonnons parfois de constater que nous savons si peu…

Mme Lamb fit remarquer que les habits de Clément devraient être refaits par un tailleur.

Le docteur Dan demanda à son infirmière de prendre les mesures de Clément et Mme Lamb les nota.

Clément avait 1,22 m de haut, 31 cm de large et 1 cm d'épaisseur.

Quand Clément prit l'habitude de sa nouvelle forme, il y trouva du plaisir.

Il pouvait entrer dans les pièces, en sortir, même quand elles étaient

fermées, en se glissant simplement sous les portes. M. et Mme Lamb disaient que c'était ridicule, mais ils étaient fiers de lui.

Jaloux, Arthur essaya de se glisser sous une porte, mais il ne fit que se cogner la tête.

– Être aplati peut aussi être utile, pensait Clément. Un après-midi, il se promenait avec Mme Lamb. Soudain, la bague préférée de sa mère lui glissa du doigt, tomba sur le trottoir et roula entre les barreaux de la grille d'une bouche d'aération.

Mme Lamb se mit à pleurer.

– J'ai une idée, dit Clément.

Il dénoua les lacets de ses souliers, prit une paire de rechange dans sa poche et les attacha bout à bout. Puis il noua l'extrémité de ce très long lacet à sa ceinture et donna l'autre à sa mère.

– Aide-moi à descendre, dit-il. Et j'irai chercher ta bague.

– Merci, Clément, dit sa mère.

Elle le fit passer entre les barreaux de la grille, le descendit, le monta, le promena à gauche, à droite, afin qu'il puisse explorer tout le fond de la bouche d'aération. Deux policiers qui s'approchaient regardèrent avec stupeur Mme Lamb agiter le lacet le long de la grille. Elle fit semblant de ne pas les remarquer.

– Que se passe-t-il, Madame ? demanda le premier policier. Votre yo-yo est-il coincé ?

– Je ne joue pas au yo-yo, répliqua sèchement Mme Lamb. Si vous voulez le savoir, mon fils est à l'autre bout de ce lacet.

– Laisse-la dire, Harry, dit le deuxième policier. La pauvre femme est

complètement toquée.

À ce moment-là, on entendit Clément crier « Youpi ! » dans la bouche d'aération.

Mme Lamb le remonta et vit qu'il avait retrouvé la bague.

– Bravo, Clément ! dit-elle.

Puis elle se retourna vers les policiers, furieuse.

– Vous voyez si je suis toquée ! s'écria-t-elle.

– Oh, pardon, Madame, dirent-ils. Nous avions jugé trop vite. Maintenant, nous comprenons la situation.

– Les gens devraient tourner sept fois leur langue dans leur bouche avant de faire des remarques désagréables, dit Mme Lamb.

Les deux policiers trouvèrent que c'était un bon principe et dirent qu'ils tâcheraient de s'en souvenir.

Un jour, Clément reçut une lettre de son ami Thomas Anthony

Jeffrey. Sa famille avait dernièrement quitté New York pour s'installer en Californie. Le lendemain, c'étaient les vacances et Clément était invité à venir les passer chez Thomas.

– Oh là là ! s'écria Clément. Comme j'aimerais y aller !

Son père soupira.

– Un billet de train ou d'avion pour la Californie sont bien chers, dit-il. Il faut que je trouve un moyen plus économique de te faire voyager.

Ce soir-là, quand M. Lamb revint de son bureau, il portait une énorme enveloppe marron.

– Et maintenant, Clément, dit-il, voyons si tu peux y entrer.

L'enveloppe convenait très bien à Clément. Et Mme Lamb découvrit même qu'il y avait encore de la place pour un sandwich œufs-salade, ainsi que pour un étui à cigarettes plat qu'elle remplit de lait.

Les parents décidèrent de recommander la lettre et de l'envoyer par courrier aérien. Aussi durent-ils mettre un grand nombre de timbres sur l'enveloppe. Mais c'était beaucoup moins cher qu'un billet de train ou d'avion pour la Californie.

Le lendemain, M. et Mme Lamb glissèrent Clément dans son enveloppe avec le sandwich œufs-salade, et l'étui à cigarettes rempli de lait. Après l'avoir pliée, ils jetèrent la lettre dans la boîte, au coin de la rue. Une fois à l'intérieur de la boîte, Clément, qui était très souple, se déplia.

Mme Lamb était inquiète parce que Clément n'avait jamais voyagé seul auparavant. Elle frappa quelques coups contre la boîte.

– Tu m'entends, mon petit ? appela-t-elle.
Tu vas bien ?

Et la voix de Clément répondit distinctement :

– Je vais très bien. Puis-je manger mon sandwich maintenant ?

– Attends une heure, répondit Mme Lamb.
J'espère que tu n'auras pas trop chaud,
mon petit.

Puis le père et la mère crièrent :

– Au revoir ! Au revoir !

Et ils rentrèrent chez eux.

Clément s'amusa bien en Californie. À la fin de son séjour, les Jeffrey le renvoyèrent dans une belle enveloppe blanche qu'ils avaient fabriquée eux-mêmes. Elle avait des rayures rouges et bleues, parce que c'était un courrier par avion, et Thomas avait marqué dessus en grosses lettres : « objet de valeur », « fragile », « haut » et « bas ».

De retour chez lui, Clément raconta à sa famille qu'il avait été manipulé avec tant de soins qu'il n'avait jamais senti la moindre secousse. M. Lamb répliqua que cela prouvait que les avions étaient une invention merveilleuse ainsi que le service des Postes, et que c'était extraordinaire de vivre à notre époque. Clément le pensait également.

Le dimanche après-midi, M. Lamb aimait amener ses fils au musée ou faire du patin à roulettes dans le parc. Mais traverser les rues ou se déplacer dans la foule posait problème. Clément et Arthur étaient souvent bousculés et M. Lamb craignait qu'ils ne se fassent renverser par des taxis ou par des gens trop pressés. Depuis que Clément était aplati, c'était plus facile. M. Lamb découvrit qu'il pouvait enrouler Clément sans lui faire mal. Il l'attachait avec une ficelle pour l'empêcher de se dérouler, et faisait un petit nœud au bout pour le porter. C'était aussi simple que de ficeler un paquet et il pouvait tenir Arthur de l'autre main. Cela ne gênait pas Clément parce qu'il n'avait jamais beaucoup aimé marcher. Arthur non plus n'aimait pas marcher, mais il le fallait bien. Cela le rendait furieux.

Un dimanche après-midi, dans la rue,

ils rencontrèrent un vieil ami de collège de M. Lamb, quelqu'un qu'il n'avait pas revu depuis des années.

– Eh bien, Georges, dit l'homme, je vois que tu portes un rouleau de papier peint. Tu décores ta maison, en ce moment ?

– Un rouleau de papier peint ? répéta M. Lamb. Oh, non, c'est mon fils Clément.

Il défit la ficelle et déroula Clément.

– Bonjour, Monsieur, comment allez-vous ? dit Clément.

– Ravi de vous connaître, mon jeune ami, dit l'homme.

Il ajouta à M. Lamb.

– Georges, ce garçon est aplati.

– En tout cas, il est très intelligent, dit M. Lamb. C'est le troisième de sa classe.

– Berk ! dit Arthur.

– Voici mon plus jeune fils, Arthur, dit M. Lamb. Et il va s'excuser de sa grossièreté.

Arthur rougit et s'excusa.

M. Lamb enroula Clément à nouveau et ils revinrent chez eux. En chemin, il se mit à pleuvoir à torrents. Clément, bien sûr, fut à peine mouillé, sauf sur les bords. Mais Arthur, lui, fut trempé.

Tard dans la nuit, M. et Mme Lamb entendirent un bruit dans la salle à manger. Ils trouvèrent Arthur qui gisait par terre, près de la bibliothèque, sous une énorme pile d'*Encyclopaedia Britannica*.

– Ajoutez d'autres volumes, dit Arthur en les voyant. Ne restez pas plantés là. Aidez-moi.

M. et Mme Lamb le renvoyèrent au lit, mais le lendemain matin, ils parlèrent à Clément.

– Arthur n'y peut rien, il est jaloux de toi, dirent-ils. Sois gentil avec lui. Après tout, tu es son grand frère.

Clément et Arthur se trouvaient dans un parc. La journée

était ensoleillée mais le vent soufflait. De nombreux garçons plus âgés faisaient voler de grands et magnifiques cerfs-volants à longue queue, de toutes les couleurs de l'arc-en-ciel. Arthur soupira :

– Un jour, j'aurai un grand cerf-volant, je gagnerai un concours et je deviendrai célèbre. Personne ne sait vraiment *qui* je suis.

Clément se rappela ce que ses parents lui avaient dit. Il alla trouver un garçon dont le cerf-volant était cassé et lui emprunta une grosse bobine de ficelle.

– Fais-moi voler, Arthur, dit-il. Allez, vas-y.

Il s'attacha à la ficelle et donna la bobine à Arthur. Il courut gaiement sur l'herbe, de biais pour prendre de la vitesse, puis se retourna face au vent et s'envola.

Haut, haut, très haut ! Clément était devenu un cerf-volant !

Il savait se diriger grâce au vent et s'il voulait monter, il se mettait face au vent et s'il voulait accélérer, il lui tournait le dos. Il n'avait qu'à se tourner de côté avec précaution, petit à petit, pour ne pas se laisser emporter, et il redescendait élégamment vers la terre ferme. Arthur lâcha de la corde et Clément plana au-dessus des arbres. Son pull-over pâle et son pantalon marron vif se détachaient très joliment sur le ciel bleu clair.

Dans le parc, tous les gens s'étaient arrêtés pour regarder.

Clément savait parfaitement descendre en piqué, à droite puis à gauche. Il étendait les bras, fonçait vers le sol comme une fusée et remontait vers le soleil. Il tournait, virait, traçant des huit, des croix et une étoile dans le ciel.

Personne n'avait jamais volé comme Clément Lamb vola ce jour-là. Et probablement personne ne volerait jamais plus comme lui.

Au bout d'un moment, bien sûr, les gens se lassèrent de le regarder et Arthur se fatigua de courir çà et là avec sa bobine de ficelle. Malgré tout, Clément continuait à parader.

Trois garçons s'approchèrent d'Arthur et l'invitèrent à partager des hot dogs et du coca. Arthur coinça la bobine dans la fourche d'un arbre et l'abandonna. Pendant qu'il mangeait son hot dog, le vent emmêla la ficelle autour de l'arbre, et Arthur ne remarqua rien. La ficelle raccourcissait, raccourcissait, mais Clément ne s'en rendait pas compte. Soudain, des feuilles effleurèrent ses pieds. C'était trop tard. Il était coincé dans les branches.

Un quart d'heure plus tard, Arthur et les autres garçons l'entendirent crier et grimpèrent à l'arbre pour le délivrer.

Ce soir-là, Clément n'adressa pas la parole à son frère (pourtant, Arthur s'était excusé) et, avant de se coucher, il était toujours furieux.

Lorsqu'elle se retrouva

seule dans la salle à manger, avec son mari, Mme Lamb secoua la tête et soupira :

– Toi, tu t'amuses bien au bureau, toute la journée. Tu ne te rends pas compte de ce que j'endure avec les garçons. Ils sont très difficiles.

– C'est toujours ainsi avec les gosses, répliqua M. Lamb. Il faut attendre. Sois patiente, mon amie.

M. et Mme Jay Dart vivaient à l'étage au-dessus de l'appartement des Lamb. M. Dart était un monsieur important, le directeur du Fameux Musée d'art de New York.

Clément Lamb avait remarqué dans l'ascenseur que M. Dart, gai d'ordinaire, était devenu triste, mais il ne savait pas pourquoi. Et puis, un matin, au petit déjeuner, il entendit son père et sa mère parler de lui.

– Je vois, dit M. Lamb qui lisait son journal tout en prenant son café, qu'on a volé un tableau au Fameux Musée. Un Fernand Léger.

Mme Lamb buvait son café à petites gorgées.

– Il ne devait pas être bien difficile à emporter, dit-elle. S'il était si léger…

– On dit, continua M. Lamb, que M. Jay Dart, le directeur, ne sait plus à quel saint se vouer. La police n'est d'aucune utilité. Écoute ce que le commissaire de police a déclaré aux journaux : « Nous soupçonnons une bande de cambrioleurs très habiles. Ils sont de la pire espèce. Ils se faufilent partout, ce qui les rend très difficiles à capturer. Cependant, j'espère que les gens achèteront des billets pour le bal de la police et qu'ils ne gareront pas leur voiture n'importe où. »

Le lendemain matin dans l'ascenseur, Clément Lamb entendit M. Dart parler à sa femme.

– Ces cambrioleurs agissent la nuit, disait M. Dart. C'est très difficile pour nos gardiens de rester éveillés après une rude journée de travail. Et le Fameux Musée est si grand que nous ne pouvons pas faire garder chaque tableau. J'ai bien peur qu'il n'y ait plus d'espoir, non, plus d'espoir.

Soudain, comme si une ampoule électrique s'était allumée dans sa tête, Clément eut une illumination. Et il confia son idée à M. Dart.

– Clément, déclara M. Dart, si ta mère te l'autorise, je mettrai ton plan à exécution cette nuit même.

Mme Lamb donna son autorisation.

– Mais cet après-midi, tu devras faire une longue sieste, dit-elle. Je ne veux pas que tu veilles à des heures impossibles à moins que tu n'y sois obligé.

Ce soir-là, après une longue sieste, Clément accompagna M. Dart au Fameux Musée. M. Dart le conduisit dans l'allée principale où étaient accrochés les plus grands et les plus importants tableaux. Il lui montra un énorme tableau qui représentait un homme barbu, jouant du violon pour une dame allongée sur un divan. Derrière elle se tenait une créature mi-homme, mi-cheval et trois enfants gras volaient au-dessus d'eux.

Sur le mur d'en face, il y avait un cadre vide. Nous en reparlerons plus tard.

M. Dart conduisit Clément dans son bureau.

– Il est temps que tu te déguises, lui dit-il.

– J'y ai déjà pensé, dit Clément, et j'ai apporté mon déguisement. Mon costume de cow-boy ! Et je peux me cacher la figure dans un mouchoir rouge. Personne ne me reconnaîtra, pas même mes parents.

– Non, dit M. Dart. Tu mettras le déguisement que je t'ai choisi.

Il sortit d'un placard une robe blanche avec une large ceinture bleue, une paire de petits souliers pointus et vernis, un large chapeau de paille avec un ruban assorti à la ceinture, une perruque et un bâton de bergère.

La perruque avait de longues frisettes blondes. Le bâton avait le bout recourbé et un nœud également bleu.

– Tu ressembles à un tableau de l'allée principale, dans ce déguisement de bergère, dit M. Dart. Je vois mal des costumes de cow-boy dans cette allée…

Clément était si dégoûté qu'il pouvait à peine parler.

– Je vais ressembler à une fille, dit-il. Voilà ce qui arrivera. Ah, si j'avais su…

Mais il était beau joueur et mit le déguisement.

Ils retournèrent dans l'allée principale et M. Dart aida Clément à grimper dans le cadre vide. Clément put s'installer grâce à quatre pitons, que M. Dart avait très astucieusement enfoncés dans le mur, pour soutenir les mains et les pieds.

Le cadre lui convenait parfaitement. Contre le mur, Clément ressemblait tout à fait à un tableau.

– À l'exception d'une chose, dit M. Dart. On imagine toujours les bergères souriantes. Elles sourient au ciel et à leurs moutons. Tu as l'air furieux, Clément, pas heureux du tout.

Clément essaya de prendre un regard lointain et même de sourire.

M. Dart recula de quelques pas, le regarda un moment et déclara :

– Bien ! Ce n'est peut-être pas de l'art, mais là n'est pas mon but.

Il s'éloigna pour s'assurer que les autres points du plan de Clément étaient réglés et le garçon resta seul. Il faisait très chaud dans l'allée principale. Un petit

clair de lune traversait les fenêtres et Clément pouvait juste apercevoir le tableau le plus cher du monde sur le mur d'en face. Il avait l'impression que l'homme barbu au violon, la dame sur le divan, la créature mi-homme mi-cheval, et les enfants ailés attendaient tous, comme lui, que quelque chose arrivât.

Le temps passait et Clément se fatiguait, se fatiguait. N'importe qui aurait été fatigué, à cette heure tardive, surtout s'il avait dû rester dans un cadre de tableau, accroché à des pitons.

– Peut-être ne viendront-ils pas, pensa Clément. Peut-être les cambrioleurs ne viendront-ils pas du tout…

Un nuage cacha la lune et l'allée principale fut plongée dans le noir. Elle semblait un peu plus tranquille, dans l'obscurité. On n'entendait plus un bruit. Soudain, Clément sentit les cheveux de sa nuque se hérisser sous les boucles dorées de la perruque.

Craaaaaac ! Clément entendit un craquement, juste au milieu de l'allée et il aperçut, au même endroit, un tout petit rai lumineux !

Le craquement résonna encore et la lueur grossit. Une trappe s'était ouverte dans le parquet et deux hommes en sortaient !

Soudain, Clément comprit tout. C'étaient les cambrioleurs ! Ils utilisaient une trappe secrète pour pénétrer dans le musée. Voilà pourquoi on ne les avait jamais capturés ! Et, à présent, ils s'apprêtaient à voler le tableau le plus cher du monde.

Sans bouger de son cadre, Clément écoutait parler les cambrioleurs :

– Formidable ! dit le premier. Nous, voleurs de tableaux, nous faisons un coup fantastique pendant que les honnêtes gens dorment.

– Exact, Luther, dit le second. Dans toute la ville, personne ne nous soupçonne.

– Ah, ah, pensait Clément Lamb. C'est ce que tu crois !

Les cambrioleurs posèrent leur lampe électrique et décrochèrent du mur le tableau le plus cher du monde.

– Et si quelqu'un essayait de nous capturer, Max, demanda le premier voleur, que lui ferions-nous ?

– Nous le tuerions, répondit son ami. Une autre question ?

Cela suffit pour effrayer Clément et il fut encore plus effrayé lorsque Luther s'approcha pour le regarder.

– Cette bergère…, murmura Luther. Je croyais qu'en principe, les bergères souriaient. Celle-ci a l'air terrifié.

À ce moment-là, Clément arriva à prendre un regard lointain et à sourire un peu.

– Tu es fou, Luther, répliqua Max. Elle sourit. Et c'est d'ailleurs une charmante petite créature.

Ce fut trop pour Clément. Il attendit que les voleurs eussent tourné le dos pour hurler de sa voix la plus tonitruante :

– Police ! Police ! M. Dart ! Les cambrioleurs sont ici !

Les cambrioleurs se regardèrent.

– Max, dit le premier tranquillement, je crois avoir entendu hurler la bergère.

– Je crois bien que moi aussi, dit Max d'une voix tremblante. Oh là là ! Si les tableaux se mettent à hurler !… Nous avons besoin de repos, tous les deux.

– En effet, vous allez prendre du repos ! hurla M. Dart qui accourait avec le commissaire de police et une ribambelle de policiers et de gardiens. Nous allons vous mettre *à l'ombre*, eh oui, en prison ! Ah, ah, ah !

Les cambrioleurs étaient trop terrifiés par la présence des policiers pour se défendre. Avant même de dire ouf ! on leur avait mis les menottes et ils furent conduits en prison.

Le lendemain matin, au bureau du commissaire de police,

Clément reçut une médaille. Le jour suivant, sa photo parut dans les journaux.

Pendant quelque temps, le nom de Clément Lamb fut célèbre. Partout où il allait, les gens le regardaient et le montraient du doigt. Il pouvait les entendre chuchoter des phrases du genre :

– Par là, Harriett ! Par là ! Ce doit être Clément, celui qui a capturé les cambrioleurs…

Mais au bout de quelques semaines, les gens cessèrent de le fixer et de chuchoter. Ils avaient d'autres chats à fouetter. Cela était égal à Clément. Être célèbre l'avait amusé un moment, mais maintenant, cela suffisait.

Et puis, plus tard, il y eut un changement, un changement qui était loin d'être agréable. Les gens se mirent à rire et à se moquer de lui sur son passage !

– Bonjour, Supersquelette ! lui criait-on. On faisait même des plaisanteries encore plus horribles.

Un jour, Clément confia à ses parents ce qu'il ressentait.

– Ce sont surtout les autres enfants qui me font de la peine, dit-il. Ils ne m'aiment plus parce que je suis différent. Aplati.

– Quelle honte ! dit Mme Lamb. C'est très

mal de ne pas aimer quelqu'un à cause de son apparence, ou à cause de
sa religion ou de la couleur de sa peau…

– Je sais, dit Clément. Mais peut-être n'est-il pas possible que tout le monde
aime tout le monde ?

– Peut-être, dit Mme Lamb. Mais on devrait essayer.

Plus tard, dans la nuit, Arthur fut réveillé par un bruit de pleurs. Il traversa
la chambre dans l'obscurité et s'agenouilla au chevet du
lit de Clément.

– Ça va ? dit-il.

– Va-t'en ! répondit Clément.

– Ne m'en veux pas, dit Arthur. Tu es furieux
depuis le jour où je t'ai laissé coincé dans cet arbre,
quand tu étais mon cerf-volant.

– Ça suffit ! s'exclama Clément. Je ne suis pas
furieux. Va-t'en.

– S'il te plaît, soyons amis… (Arthur ne pouvait pas s'empêcher de pleurer
un peu, lui aussi.) Oh, Clément, s'il te plaît, dis-moi ce qui ne va pas.

Clément attendit un long moment avant de parler.

– En fait, dit-il. Je ne suis plus heureux du tout. Je suis fatigué d'être aplati.

Je voudrais avoir une forme normale, comme
tout le monde. Mais je resterai toujours aplati.
Ça me rend malade.

– Oh, Clément, soupira Arthur.

Il essuya ses larmes sur un coin du drap de
Clément, ne sachant plus quoi ajouter.

– Ne reparle plus de ce que je viens de te dire,
reprit Clément. Je ne veux pas qu'on s'inquiète. Ça ne ferait qu'aggraver
les choses.

– Tu es courageux, dit Arthur, vraiment courageux.

Il prit la main de Clément. Les deux frères étaient assis l'un près de l'autre,
dans l'obscurité, à nouveau amis.

Tous deux étaient encore tristes, mais ils se sentaient un petit peu mieux
qu'auparavant.

Et puis, soudain, alors qu'il ne s'y attendait plus, Arthur eut une idée. Il se
leva d'un bond, alluma la lumière et courut vers la caisse à jouets. Il se mit
à farfouiller à l'intérieur.

Clément s'était assis sur son lit pour le regarder.

Arthur jeta par terre un ballon de football, des soldats de plomb, un avion
miniature et des cubes. Puis il cria :

– Ah ! Ah !

Il avait trouvé ce qu'il voulait, une vieille pompe à vélo. Il la prit. Clément et lui
se comprirent d'un regard.

– D'accord, dit Clément. Mais vas-y doucement.

Il mit dans sa bouche le tube de caoutchouc de la pompe à vélo et serra bien les lèvres pour ne pas laisser l'air s'échapper.

– J'irai lentement, dit Arthur. Si ça te fait mal ou si quelque chose ne va pas, agite la main.

Il se mit à pomper. Au début, rien ne se passa. Ah, si ! Les joues de Clément s'étaient un peu gonflées. Arthur regardait si les mains de son frère s'agitaient, mais non. Puis soudain, le buste, les bras et la tête de Clément se mirent à gonfler.

– Ça marche ! hurla Arthur, pompant de plus belle. Ça marche !

Clément leva les bras pour que l'air entre plus facilement en lui. Il grossissait, grossissait. Pop ! Pop ! Pop ! Les boutons de son pyjama sautèrent. Un peu plus tard, il était regonflé de partout : tête et corps, bras et jambes, tout, sauf son pied droit. Ce pied restait aplati.

Arthur s'arrêta de pomper.

– C'est comme lorsqu'on essaie de gonfler un ballon très allongé, dit-il. Si tu t'agites un peu, ça s'arrangera peut-être.

Clément secoua son pied droit deux fois et… wiiiiiiich ! Le pied droit se regonfla, et Clément avait retrouvé son ancien aspect, comme s'il n'avait jamais été aplati de sa vie !

– Merci, Arthur, dit Clément. Merci beaucoup.

Les deux frères se serraient la main quand M. Lamb entra précipitamment dans la chambre, suivi de sa femme.

– On vous entend depuis un moment ! dit M. Lamb. Alors, vous êtes debout et vous parlez alors que vous devriez être endormis depuis longtemps ? Quelle…

– Georges ! s'écria Mme Lamb. Clément n'est plus aplati !

– Tu as raison ! dit M. Lamb en remarquant la chose. Je suis ravi pour toi, Clément.

– C'est grâce à moi ! dit Arthur. J'ai soufflé de l'air avec la pompe à vélo !

Tout le monde était terriblement heureux et excité, bien sûr. Mme Lamb prépara du chocolat chaud pour fêter l'événement et on but à la santé d'Arthur qui s'était montré si malin.

Quand la petite fête fut terminée, M. et Mme Lamb remirent les garçons au lit, les embrassèrent et éteignirent la lumière.

– Bonne nuit ! dirent-ils.

– Bonne nuit ! répondirent Clément et Arthur.

La journée avait été longue et épuisante. Bientôt, toute la maisonnée fut endormie.

PIERROT OU LES SECRETS DE LA NUIT

Michel Tournier . Danièle Bour

Deux petites maisons blanches se faisaient face dans le village de Pouldreuzic. L'une était la blanchisserie. Personne ne se souvenait du vrai nom de la blanchisseuse, car tout le monde l'appelait Colombine en raison de sa robe neigeuse qui la faisait ressembler à une colombe. L'autre maison était la boulangerie de Pierrot.

Pierrot et Colombine avaient grandi ensemble sur les bancs de l'école du village. Ils étaient si souvent réunis que tout le monde imaginait que plus tard ils se marieraient. Pourtant la vie les avait séparés, lorsque Pierrot était devenu mitron et Colombine blanchisseuse. Forcément, un mitron travaille la nuit, afin que tout le village ait du pain frais et des croissants chauds le matin. Une blanchisseuse travaille le jour. Tout de même, ils auraient pu se rencontrer aux crépuscules, le soir quand Colombine s'apprêtait à se coucher et quand Pierrot se levait, ou le matin quand la journée de Colombine commençait et quand la nuit de Pierrot s'achevait.

Mais Colombine évitait Pierrot, et le pauvre mitron se rongeait de chagrin.

Pourquoi Colombine évitait-elle Pierrot ? Parce que son ancien ami évoquait pour elle toutes sortes de choses déplaisantes. Colombine n'aimait que le soleil, les oiseaux et les fleurs. Elle ne s'épanouissait qu'en été, à la chaleur. Or le mitron, nous l'avons dit, vivait surtout la nuit, et pour Colombine, la nuit n'était qu'une obscurité peuplée de bêtes effrayantes comme les loups ou les chauves-souris. Elle préférait alors fermer sa porte et ses volets, et se pelotonner sous sa couette pour dormir. Et ce n'était pas tout, car la vie de Pierrot se creusait de deux autres

obscurités encore plus inquiétantes, celle de sa cave et celle de son four.
Qui sait s'il n'y avait pas des rats dans sa cave ?
Et ne dit-on pas : « noir comme un four » ?

Il faut avouer d'ailleurs que Pierrot avait le physique de son emploi. Peut-être parce qu'il travaillait la nuit et dormait le jour, il avait un visage rond et pâle qui le faisait ressembler à la lune quand elle est pleine. Ses grands yeux attentifs et étonnés lui donnaient l'air d'une chouette, comme aussi ses vêtements amples, flottants et tout blancs de farine. Comme la lune, comme la chouette, Pierrot était timide, silencieux, fidèle et secret. Il préférait l'hiver à l'été, la solitude à la société, et plutôt que de parler – ce qui lui coûtait et dont il s'acquittait mal – il aimait mieux écrire, ce qu'il faisait à la chandelle, avec une immense plume, adressant à Colombine de longues lettres qu'il ne lui envoyait pas, persuadé qu'elle ne les lirait pas. Qu'écrivait Pierrot dans ses lettres ? Il s'efforçait de détromper Colombine. Il lui expliquait que la nuit n'était pas ce qu'elle croyait. Pierrot connaît la nuit. Il sait que ce n'est pas un trou noir, pas plus que sa cave ni son four. La nuit, la rivière chante plus haut et plus clair, et elle scintille de mille et mille écailles d'argent. Le feuillage que les grands arbres secouent sur le ciel sombre est tout pétillant d'étoiles. Les souffles de la nuit sentent plus profondément l'odeur de la mer, de la forêt et de la montagne que les souffles du jour imprégnés par le travail des hommes. Pierrot connaît la lune. Il sait la regarder. Il sait voir que ce n'est pas un disque blanc et plat comme une assiette. Il la regarde avec assez d'attention et d'amitié pour voir à l'œil nu qu'elle possède un relief, qu'il s'agit en vérité d'une boule – comme une pomme, comme une citrouille – et qu'en outre elle n'est pas lisse, mais bien sculptée, modelée, vallonnée – comme un paysage avec ses collines et ses vallées, comme un visage avec ses rides et ses sourires. Oui, tout cela Pierrot le sait, parce que sa pâte, après qu'il l'a longuement pétrie et secrètement fécondée avec le levain, a besoin de deux heures pour se reposer et lever. Alors il sort de son fournil. Tout le monde dort. Il est la conscience claire du village. Il en parcourt les rues et les ruelles, ses grands yeux ronds largement ouverts sur le sommeil des

318

autres, ces hommes, ces femmes, ces enfants qui ne s'éveilleront que pour manger les croissants chauds qu'il leur aura préparés. Il passe sous les fenêtres closes de Colombine. Il devient le veilleur du village, le gardien de Colombine. Il imagine la jeune fille soupirant et rêvant dans la moite blancheur de son grand lit, et lorsqu'il lève sa face pâle vers la lune, il se demande si cette douce rondeur qui flotte au-dessus des arbres dans un voile de brume est celle d'une joue, d'un sein, ou mieux encore d'une fesse.

Sans doute les choses auraient-elles pu durer encore longtemps de la sorte, si un beau matin d'été, tout enluminé de fleurs et d'oiseaux, un drôle de véhicule tiré par un homme n'avait fait son entrée dans le village. Cela tenait de la roulotte et de la baraque de foire, car d'une part il était évident qu'on y pouvait s'abriter et dormir, et d'autre part cela brillait de couleurs vives, et des rideaux richement peints flottaient comme des bannières tout autour de l'habitacle. Une enseigne vernie couronnait le véhicule :

ARLEQUIN
Peintre en bâtiment

L'homme vif, souple, aux joues vermeilles, aux cheveux roux et frisés, était vêtu d'une sorte de collant composé d'une mosaïque de petits losanges bariolés. Il y avait là toutes les couleurs de l'arc-en-ciel, plus quelques autres encore, mais aucun losange n'était blanc ni noir. Il arrêta son chariot devant la boulangerie de Pierrot, et examina avec une moue de réprobation sa façade nue et triste qui ne portait que ces deux mots :

PIERROT BOULANGER

Il se frotta les mains d'un air décidé et entreprit de frapper à la porte. C'était le plein du jour, nous l'avons dit, et Pierrot dormait à poings fermés. Arlequin dut tambouriner longtemps avant que la porte s'ouvrît sur un Pierrot plus pâle que jamais et titubant de fatigue. Pauvre Pierrot ! On aurait vraiment dit une chouette, tout blanc, ébouriffé, ahuri, les yeux clignotant à la lumière impitoyable de midi. Aussi, avant même qu'Arlequin ait pu ouvrir la bouche, un grand rire éclata derrière lui. C'était Colombine qui observait la scène de sa fenêtre, un gros fer à repasser à la main. Arlequin se retourna, l'aperçut et éclata de rire à son tour, et Pierrot se trouva seul et triste dans sa défroque lunaire en face de ces deux enfants du soleil que rapprochait leur commune gaieté. Alors il se fâcha, et, le cœur blessé de jalousie, il referma brutalement la porte au nez d'Arlequin, puis il alla se recoucher, mais il est peu probable qu'il retrouva si vite le sommeil.

Arlequin, lui, se dirige vers la blanchisserie où Colombine a disparu. Il la cherche. Elle reparaît, mais à une autre fenêtre, disparaît, mais à une autre fenêtre, disparaît encore avant qu'Arlequin ait eu le temps d'approcher. On dirait qu'elle joue à cache-cache avec lui. Finalement la porte s'ouvre, et Colombine sort en portant une vaste corbeille de linge propre. Suivie par Arlequin, elle se dirige vers son jardin et commence à étendre son linge sur des cordes pour qu'il sèche. Il s'agit de linge blanc exclusivement. Blanc comme le costume de Colombine. Blanc comme celui de Pierrot.

Mais ce linge blanc, elle l'expose non pas à la lune, mais au soleil, ce soleil qui fait briller toutes les couleurs, celles notamment du costume d'Arlequin. Arlequin le beau parleur fait des discours à Colombine. Colombine lui répond. Que se disent-ils ? Ils parlent chiffons. Colombine chiffons blancs. Arlequin chiffons de couleur. Pour la blanchisseuse, le blanc va de soi. Arlequin s'efforce de lui mettre couleurs en tête. Il y réussit un peu d'ailleurs. C'est depuis cette rencontre fameuse de Pouldreuzic qu'on voit le marché de blanc envahi par des serviettes mauves, des taies d'oreillers bleues, des nappes

vertes et des draps roses. Après avoir étendu son linge au soleil, Colombine revient à la blanchisserie. Arlequin qui porte la corbeille vide lui propose de repeindre la façade de sa maison. Colombine accepte.

Aussitôt Arlequin se met au travail. Il démonte sa roulotte, et, avec les pièces et les morceaux, il édifie un échafaudage sur le devant de la blanchisserie. C'est comme si la roulotte démontée prenait possession de la maison de Colombine. Arlequin se juche prestement sur son échafaudage. Avec son collant multicolore et sa crête de cheveux rouges, il ressemble à un oiseau exotique sur son perchoir. Et comme pour

accentuer la ressemblance,
il chante et il siffle avec entrain.
De temps en temps, la tête de
Colombine sort d'une fenêtre,
et ils échangent des plaisanteries,
des sourires et des chansons.
Très vite le travail d'Arlequin prend
figure. La façade blanche
de la maison disparaît sous une
palette multicolore. Il y a là toutes
les couleurs de l'arc-en-ciel plus
quelques autres, mais ni noir,
ni blanc, ni gris.
Mais il y a surtout deux inventions
d'Arlequin qui prouveraient, s'il en
était besoin, qu'il est vraiment le
plus entreprenant et le plus effronté de tous les peintres en bâtiment. D'abord
il a figuré sur le mur une Colombine grandeur nature portant sur sa tête
sa corbeille de linge. Mais ce n'est pas tout. Cette Colombine, au lieu de
la représenter dans ses vêtements blancs habituels, Arlequin lui a fait une robe
de petits losanges multicolores, tout pareils à ceux de son propre collant.
Et il y a encore autre chose. Certes il a repeint en lettres noires sur fond blanc
le mot BLANCHISSERIE, mais il a ajouté à la suite en lettres de toutes les
couleurs : TEINTURERIE ! Il a travaillé si vite que tout est terminé quand
le soleil se couche, bien que la peinture soit encore loin d'être sèche.

Le soleil se couche et Pierrot
se lève. On voit le soupirail
de la boulangerie s'allumer
et rougeoyer de chauds reflets.
Une lune énorme flotte comme
un ballon laiteux dans le ciel
phosphorescent. Bientôt Pierrot
sort de son fournil. Il ne voit
d'abord que la lune. Il en est

tout rempli de bonheur. Il court vers elle avec de grands gestes d'adoration.
Il lui sourit, et la lune lui rend son sourire. En vérité ils sont comme frère
et sœur, avec leur visage rond et leurs vêtements vaporeux. Mais à force de
danser et de tourner, Pierrot se prend les pieds dans les pots de peinture
qui jonchent le sol. Il se heurte à l'échafaudage dressé sur la maison de
Colombine. Le choc l'arrache à son rêve. Que se passe-t-il ? Qu'est-il arrivé
à la blanchisserie ? Pierrot ne reconnaît plus cette façade bariolée, ni surtout
cette Colombine en costume d'Arlequin.

Et ce mot barbare accolé au mot blanchisserie : TEINTURERIE ! Pierrot ne danse plus, il est frappé de stupeur. La lune dans le ciel grimace de douleur. Ainsi donc Colombine s'est laissé séduire par les couleurs d'Arlequin ! Elle s'habille désormais comme lui, et au lieu de savonner et de repasser du linge blanc et frais, elle va faire mariner dans des cuves de couleurs chimiques nauséabondes et salissantes des frusques défraîchies ! Pierrot s'approche de l'échafaudage. Il le palpe avec dégoût. Là-haut une fenêtre brille. C'est terrible un échafaudage, parce que ça permet de regarder par les fenêtres des étages ce qui se passe dans les chambres !

Pierrot grimpe sur une planche, puis sur une autre. Il s'avance vers la fenêtre allumée. Il y jette un coup d'œil. Qu'a-t-il vu ? Nous ne le saurons jamais ! Il fait un bond en arrière. Il a oublié qu'il était perché à trois mètres du sol sur un échafaudage. Il tombe. Quelle chute ! Est-il mort ? Non. Il se relève péniblement. En boitant, il rentre dans la boulangerie. Il allume une chandelle, il trempe sa grande plume dans l'encrier. Il écrit une lettre à Colombine. Une lettre ? Non, seulement un bref message. Il ressort, son enveloppe à la main. Toujours boitant, il hésite et cherche un moment, puis il prend le parti d'accrocher son message à l'un des montants de l'échafaudage. Puis il rentre. Le soupirail s'éteint. Un gros nuage vient masquer la face triste de la lune. Un nouveau jour commence sous un soleil glorieux. Arlequin et Colombine bondissent hors de la blanchisserie-teinturerie en se tenant par la main. Colombine n'a plus sa robe blanche habituelle. Elle a une robe faite de petits losanges de couleur, de toutes les couleurs, mais sans noir ni blanc. Elle est vêtue comme la Colombine peinte par Arlequin sur la façade de la maison. Elle est devenue une Arlequine. Comme ils sont heureux ! Ils dansent ensemble autour de la maison. Puis Arlequin, toujours dansant, se livre à un curieux travail. Il démonte l'échafaudage dressé contre la maison de Colombine. Et, en même temps, il remonte son drôle de véhicule. La roulotte prend forme. Colombine l'essaie. Arlequin a l'air de considérer que leur départ va de soi. C'est que le peintre est un vrai nomade. Il vit sur son échafaudage comme l'oiseau sur la branche. Il n'est pas question pour lui de s'attarder. D'ailleurs, il n'a plus rien à faire à Pouldreuzic, et la campagne brille de tous ses charmes.

Colombine paraît d'accord pour s'en aller. Elle porte dans la roulotte un léger baluchon. Elle ferme les volets de la maison. La voilà avec Arlequin dans la roulotte. Ils vont partir. Pas encore. Arlequin descend. Il a oublié quelque chose. Une pancarte qu'il peint à grands gestes, puis qu'il accroche à la porte de la maison :

FERMÉE POUR CAUSE DE VOYAGE DE NOCES

Cette fois, ils peuvent partir. Arlequin s'attelle à la roulotte, et la tire sur la route. Bientôt la campagne les entoure et leur fait fête. Il y a tant de fleurs et de papillons qu'on dirait que le paysage a mis un costume d'arlequin !

La nuit tombe sur le village. Pierrot se hasarde hors de la boulangerie. Toujours boitant, il s'approche de la maison de Colombine. Tout est fermé. Soudain il avise la pancarte. Elle est tellement affreuse, cette pancarte, qu'il n'arrive pas à la lire. Il se frotte les yeux. Il faut bien pourtant qu'il se rende à l'évidence. Alors, toujours clopin-clopant, il regagne son fournil.

Il en ressort bientôt. Lui aussi a sa pancarte. Il l'accroche à sa porte avant de la refermer brutalement. On peut y lire :

FERMÉE POUR CAUSE DE CHAGRIN D'AMOUR

Les jours passent. L'été s'achève. Arlequin et Colombine continuent à parcourir le pays. Mais leur bonheur n'est plus le même. De plus en plus souvent maintenant, c'est Colombine qui traîne la roulotte tandis qu'Arlequin s'y repose. Puis le temps se gâte. Les premières pluies d'automne crépitent sur leur tête. Leurs beaux costumes bariolés commencent à déteindre. Les arbres deviennent roux, puis perdent leurs feuilles. Ils traversent des forêts de bois morts, des champs labourés bruns et noirs.

Et un matin, c'est le coup de théâtre ! Toute la nuit le ciel s'est empli de

flocons voltigeants. Quand le jour se lève, la neige recouvre toute la campagne, la route, et même la roulotte. C'est le grand triomphe du blanc, le triomphe de Pierrot. Et comme pour couronner cette revanche du mitron, ce soir-là une lune énorme et argentée flotte au-dessus du paysage glacé. Colombine pense de plus en plus souvent à Pouldreuzic, et aussi à Pierrot, surtout quand elle regarde la lune. Un jour un petit papier s'est trouvé dans sa main, elle ne sait pas comment. Elle se demande si le mitron est passé par là récemment pour déposer ce message. En réalité il l'a écrit pour elle et attaché à l'un des montants de l'échafaudage devenu l'une des pièces de la roulotte. Elle lit :

> *Colombine !*
>
> *Ne m'abandonne pas !*
> *Ne te laisse pas séduire par les couleurs chimiques et superficielles d'Arlequin !*
> *Ce sont des couleurs toxiques, malodorantes et qui s'écaillent.*
> *Mais moi aussi j'ai mes couleurs.*
> *Seulement ce sont des couleurs vraies et profondes.*
> *Écoute bien ces merveilleux secrets :*
> *Ma nuit n'est pas noire, elle est bleue !*
> *Et c'est un bleu qu'on respire.*
> *Mon four n'est pas noir, il est doré !*
> *Et c'est un or qui se mange.*
> *La couleur que je fais réjouit l'œil, mais en outre elle est épaisse, substantielle, elle sent bon, elle est chaude, elle nourrit.*
>
> *Je t'aime et je t'attends,*
> *Pierrot*

Une nuit bleue, un four doré, des couleurs vraies qui se respirent et qui nourrissent, c'était donc cela le secret de Pierrot ? Dans ce paysage glacé qui ressemble au costume du mitron, Colombine réfléchit et hésite.
Arlequin dort au fond de la roulotte sans penser à elle. Tout à l'heure, il va

falloir remettre la bricole qui lui meurtrit l'épaule et la poitrine pour tirer le véhicule sur la route gelée. Pourquoi ? Si elle veut retourner chez elle, qu'est-ce qui la retient auprès d'Arlequin puisque les belles couleurs ensoleillées qui l'avaient séduite sont fanées ? Elle saute hors du véhicule. Elle rassemble son baluchon, et la voilà partie d'un pied léger en direction de son village.

Elle marche, marche, marche la petite Colombine-Arlequine dont la robe a perdu ses brillantes couleurs sans être redevenue blanche pour autant. Elle fuit dans la neige qui fait un doux frou-frou froissé sous ses pieds et frôle ses oreilles ; fuite-frou-fuite-frou-fuite-frou… Bientôt elle voit dans sa tête une quantité de mots en F qui se rassemblent en une sombre armée, des mots méchants : froid, fer, faim, folie, fantôme, faiblesse. Elle va tomber par terre, la pauvre Colombine, mais heureusement un essaim de mots en F également, des mots fraternels, vient à son secours, comme envoyés par Pierrot : fumée, force, fleur, feu, farine, fournil, flambée, festin, féerie… Enfin elle arrive au village. C'est la pleine nuit. Tout dort sous la neige. Neige blanche ? Nuit noire ? Non. Parce qu'elle s'est rapprochée de Pierrot, Colombine a maintenant des yeux pour voir : bleue est la nuit, bleue est la neige, c'est évident ! Mais il ne s'agit pas du bleu de Prusse criard et toxique dont Arlequin possède tout un pot. C'est le bleu lumineux, vivant des lacs, des glaciers et du ciel, un bleu qui sent bon et que Colombine respire à pleins poumons.

Voici la fontaine prisonnière du gel, la vieille église, et voici les deux petites maisons qui se font face, la blanchisserie de Colombine et la boulangerie de Pierrot. La blanchisserie est éteinte et comme morte, mais la boulangerie donne des signes de vie. La cheminée fume et le soupirail du fournil jette sur la neige du trottoir une lueur tremblante et dorée. Certes Pierrot n'a pas menti quand il a écrit que son four n'était pas noir mais d'or !

Colombine s'arrête interdite devant le soupirail. Elle voudrait s'accroupir devant cette bouche de lumière qui souffle jusque sous sa robe de la chaleur et une enivrante odeur de pain, pourtant elle n'ose pas. Mais tout à coup la porte s'ouvre, et Pierrot apparaît. Est-ce le hasard ? A-t-il pressenti la venue de son amie ? Ou simplement a-t-il aperçu ses pieds par le soupirail ? Il lui tend les bras, mais au moment où elle va s'y jeter, pris de peur, il s'efface et l'entraîne dans son fournil. Colombine a l'impression de descendre dans

un bain de tendresse. Comme on est bien ! Les portes du four sont fermées, pourtant la flamme est si vive à l'intérieur qu'elle suinte par toutes sortes de trous et de fentes. Pierrot, tapi dans un coin, boit de tous ses yeux ronds cette apparition fantastique : Colombine dans son fournil ! Colombine, hypnotisée par le feu, le regarde du coin de l'œil et trouve que décidément il fait très oiseau de nuit, ce bon Pierrot enfoncé dans l'ombre avec les grands plis blancs de sa blouse et son visage lunaire.

Il faudrait qu'il lui dise quelque chose, mais il ne peut pas, les mots lui restent dans la gorge.

Le temps passe. Pierrot baisse les yeux vers son pétrin où dort la grande miche de pâte blonde. Blonde et tendre comme Colombine… Depuis deux heures que la pâte dort dans le pétrin de bois, le levain a fait son œuvre vivante. Le four est chaud, il va être l'heure d'enfourner la pâte. Pierrot regarde Colombine. Que fait Colombine ? Épuisée par la longue route qu'elle a parcourue, bercée par la douce chaleur du fournil, elle s'est endormie sur le coffre à farine dans une pose de délicieux abandon. Pierrot a les larmes aux yeux d'attendrissement devant son amie venue se réfugier chez lui pour fuir les rigueurs de l'hiver et un amour mort.

Arlequin avait fait le portrait peint de Colombine-Arlequine en costume bariolé sur le mur de la blanchisserie. Pierrot a une idée. Il va sculpter une Colombine-Pierrette à sa manière dans sa pâte à brioche. Il se met au travail. Ses yeux vont sans cesse de la jeune fille endormie à la miche couchée dans le pétrin. Ses mains aimeraient caresser l'endormie, bien sûr, mais fabriquer une Colombine en pâte, c'est presque aussi plaisant. Quand il pense avoir terminé son œuvre, il la compare avec son modèle vivant. Évidemment la Colombine de pâte est un peu blême ! Vite, au four !

Le feu ronfle. Il y a maintenant deux Colombine dans le fournil de Pierrot.

C'est alors que des coups timides frappés à la porte réveillent la vraie Colombine. Qui est là ? Pour toute réponse, une voix s'élève, une voix rendue faible et triste par la nuit et le froid. Mais Pierrot et Colombine reconnaissent la voix d'Arlequin, le chanteur sur tréteaux, bien qu'elle n'ait plus – tant s'en faut – ses accents triomphants de l'été. Que chante-t-il, l'Arlequin transi ? Il chante une chanson devenue célèbre depuis, mais dont les paroles ne peuvent se comprendre que si l'on connaît l'histoire que nous venons de raconter :

> *Au clair de la lune,*
> *Mon ami Pierrot !*
> *Prête-moi ta plume*
> *Pour écrire un mot.*
> *Ma chandelle est morte,*
> *Je n'ai plus de feu.*
> *Ouvre-moi ta porte,*
> *Pour l'amour de Dieu !*

C'est que le pauvre Arlequin avait retrouvé au milieu de ses pots de peinture le message abandonné par Colombine, grâce auquel Pierrot avait convaincu la jeune fille de revenir à lui. Ainsi ce beau parleur avait mesuré le pouvoir que possèdent parfois ceux qui écrivent, et aussi ceux qui possèdent un four en hiver. Et naïvement il demandait à Pierrot de lui prêter sa plume et son feu. Croyait-il vraiment avoir des chances de reconquérir aussi Colombine ? Pierrot a pitié de son rival malheureux. Il lui ouvre sa porte. Un Arlequin piteux et décoloré se précipite vers le four dont les portes continuent de suinter chaleur, couleur et bonne odeur. Comme il fait bon chez Pierrot ! Le mitron est transfiguré par son triomphe. Il fait de grands gestes amplifiés par ses longues manches flottantes. D'un mouvement théâtral, il ouvre les deux portes du four.

Un flot de lumière dorée, de chaleur maternelle et de délicieuse odeur de pâtisserie baigne les trois amis. Et maintenant, à l'aide de sa longue pelle de bois, Pierrot fait glisser quelque chose hors du four. Quelque chose ? Quelqu'un plutôt ! Une jeune fille de croûte

dorée, fumante et croustillante qui ressemble à Colombine comme une sœur.

Ce n'est plus la Colombine-Arlequine plate et bariolée de couleurs chimiques peinte sur la façade de la blanchisserie, c'est une Colombine-Pierrette, modelée en pleine brioche avec tous les reliefs de la vie, ses joues rondes, sa poitrine pigeonnante et ses belles petites fesses pommées. Colombine a pris Colombine dans ses bras au risque de se brûler.

– Comme je suis belle, comme je sens bon ! dit-elle.

Pierrot et Arlequin observent fascinés cette scène extraordinaire. Colombine étend Colombine sur la table, elle écarte des deux mains avec une douceur gourmande les seins briochés de la Colombine. Elle plonge un nez avide, une langue frétillante dans l'or moelleux du décolleté.

Elle dit, la bouche pleine :

– Comme je suis savoureuse ! Vous aussi, mes chéris, goûtez, mangez la bonne Colombine ! Mangez-moi !

Et ils goûtent, ils mangent la chaude Colombine de mie fondante. Ils se regardent. Ils sont heureux. Ils voudraient rire, mais comment faire avec des joues gonflées de brioche ?

LE PETIT PRINCE
RENCONTRE LE RENARD

Antoine de Saint-Exupéry

C'est alors qu'apparut le renard :

– Bonjour, dit le renard.

– Bonjour, répondit poliment le petit prince, qui se retourna mais ne vit rien.

– Je suis là, dit la voix, sous le pommier…

– Qui es-tu ? dit le petit prince. Tu es bien joli…

– Je suis un renard, dit le renard.

– Viens jouer avec moi, lui proposa le petit prince. Je suis tellement triste…

– Je ne puis pas jouer avec toi, dit le renard. Je ne suis pas apprivoisé.

– Ah ! Pardon, fit le petit prince.

Mais, après réflexion, il ajouta :

– Qu'est-ce que signifie « apprivoiser » ?

– Tu n'es pas d'ici, dit le renard, que cherches-tu ?

– Je cherche les hommes, dit le petit prince. Qu'est-ce que signifie
« apprivoiser » ?

– Les hommes, dit le renard, ils ont des fusils et ils chassent. C'est bien gênant ! Ils élèvent aussi des poules. C'est leur seul intérêt. Tu cherches des poules ?

– Non, dit le petit prince. Je cherche des amis. Qu'est-ce que signifie « apprivoiser » ?

– C'est une chose trop oubliée, dit le renard. Ça signifie « créer des liens… »

– Créer des liens ?

– Bien sûr, dit le renard. Tu n'es encore pour moi qu'un petit garçon tout semblable à cent mille petits garçons. Et je n'ai pas besoin de toi. Et tu n'as pas besoin de moi non plus. Je ne suis pour toi qu'un renard semblable à cent mille renards. Mais, si tu m'apprivoises, nous aurons besoin l'un de l'autre. Tu seras pour moi unique au monde. Je serai pour toi unique au monde…

– Je commence à comprendre, dit le petit prince. Il y a une fleur… je crois qu'elle m'a apprivoisé…

– C'est possible, dit le renard. On voit sur la Terre toutes sortes de choses…

– Oh ! Ce n'est pas sur la Terre, dit le petit prince.

Le renard parut très intrigué :

– Sur une autre planète ?

– Oui.

– Il y a des chasseurs, sur cette planète-là ?

– Non.

– Ça, c'est intéressant ! Et des poules ?

– Non.

– Rien n'est parfait, soupira le renard.

Mais le renard revint à son idée :

– Ma vie est monotone. Je chasse les poules, les hommes me chassent.
Toutes les poules se ressemblent, et tous les hommes se ressemblent.
Je m'ennuie donc un peu. Mais, si tu m'apprivoises, ma vie sera comme
ensoleillée. Je connaîtrai un bruit de pas qui sera différent de tous
les autres. Les autres pas me font rentrer sous terre. Le tien m'appellera
hors du terrier, comme une musique. Et puis regarde ! Tu vois, là-bas,
les champs de blé ? Je ne mange pas de pain. Le blé pour moi est inutile.
Les champs de blé ne me rappellent rien. Et ça, c'est triste ! Mais tu as
des cheveux couleur d'or. Alors ce sera merveilleux quand tu m'auras
apprivoisé ! Le blé, qui est doré, me fera souvenir de toi. Et j'aimerai le bruit
du vent dans le blé…

Le renard se tut et regarda longtemps le petit prince :

– S'il te plaît… apprivoise-moi ! dit-il.

– Je veux bien, répondit le petit prince, mais je n'ai pas beaucoup de temps.
J'ai des amis à découvrir et beaucoup de choses à connaître.

– On ne connaît que les choses que l'on apprivoise, dit le renard. Les hommes n'ont plus le temps de rien connaître. Ils achètent des choses toutes faites chez les marchands. Mais comme il n'existe point de marchands d'amis, les hommes n'ont plus d'amis. Si tu veux un ami, apprivoise-moi !

– Que faut-il faire ? dit le petit prince.

– Il faut être très patient, répondit le renard. Tu t'assoiras d'abord un peu loin de moi, comme ça, dans l'herbe. Je te regarderai du coin de l'œil et tu ne diras rien. Le langage est source de malentendus. Mais, chaque jour, tu pourras t'asseoir un peu plus près…

Le lendemain revint le petit prince.

– Il eût mieux valu revenir à la même heure, dit le renard. Si tu viens, par exemple, à quatre heures de l'après-midi, dès trois heures je commencerai d'être heureux. Plus l'heure avancera, plus je me sentirai heureux. À quatre heures, déjà, je m'agiterai et m'inquiéterai : je découvrirai le prix du bonheur ! Mais si tu viens n'importe quand, je ne saurai jamais à quelle heure m'habiller le cœur… Il faut des rites.

– Qu'est-ce qu'un rite ? dit le petit prince.

– C'est aussi quelque chose de trop oublié, dit le renard. C'est ce qui fait qu'un jour est différent des autres jours, une heure, des autres heures. Il y a un rite, par exemple, chez mes chasseurs. Ils dansent le jeudi avec les filles du village. Alors le jeudi est jour merveilleux ! Je vais me promener jusqu'à la vigne. Si les chasseurs dansaient n'importe quand, les jours se ressembleraient tous, et je n'aurais point de vacances.

Ainsi, le petit prince apprivoisa le renard. Et quand l'heure du départ fut proche :

– Ah ! dit le renard… Je pleurerai.

– C'est ta faute, dit le petit prince, je ne te souhaitais point de mal, mais tu as voulu que je t'apprivoise…

– Bien sûr, dit le renard.

– Mais tu vas pleurer ! dit le petit prince.

– Bien sûr, dit le renard.

– Alors tu n'y gagnes rien !

– J'y gagne, dit le renard, à cause de la couleur du blé.

Puis il ajouta :

– Va revoir les roses. Tu comprendras que la tienne est unique au monde.
Tu reviendras me dire adieu, et je te ferai cadeau d'un secret.

Le petit prince s'en fut revoir les roses :

– Vous n'êtes pas du tout semblables à ma rose, vous n'êtes rien encore,
leur dit-il. Personne ne vous a apprivoisées et vous n'avez apprivoisé
personne. Vous êtes comme était mon renard. Ce n'était qu'un renard
semblable à cent mille autres. Mais j'en ai fait mon ami, et il est maintenant
unique au monde.

Et les roses étaient bien gênées.

– Vous êtes belles, mais vous êtes vides, leur dit-il encore. On ne peut pas

« Si tu viens, par exemple, à quatre heures de l'après-midi,
dès trois heures je commencerai d'être heureux. »

mourir pour vous. Bien sûr, ma rose à moi, un passant ordinaire croirait qu'elle vous ressemble. Mais à elle seule elle est plus importante que vous toutes, puisque c'est elle que j'ai arrosée. Puisque c'est elle que j'ai mise sous globe. Puisque c'est elle que j'ai abritée par le paravent. Puisque c'est elle dont j'ai tué les chenilles (sauf les deux ou trois pour les papillons). Puisque c'est elle que j'ai écoutée se plaindre, ou se vanter, ou même quelquefois se taire. Puisque c'est ma rose.

Et il revint vers le renard :
– Adieu, dit-il…
– Adieu, dit le renard. Voici mon secret. Il est très simple : on ne voit bien qu'avec le cœur. L'essentiel est invisible pour les yeux.
– L'essentiel est invisible pour les yeux, répéta le petit prince, afin de se souvenir.
– C'est le temps que tu as perdu pour ta rose qui fait ta rose si importante.
– C'est le temps que j'ai perdu pour ma rose…, fit le petit prince, afin de se souvenir.
– Les hommes ont oublié cette vérité, dit le renard. Mais tu ne dois pas l'oublier. Tu deviens responsable pour toujours de ce que tu as apprivoisé. Tu es responsable de ta rose…
– Je suis responsable de ma rose…, répéta le petit prince, afin de se souvenir.

(Chapitre XXI du *Petit Prince*)

L'HOMME QUI PLANTAIT DES ARBRES

Jean Giono . Willi Glasauer

Pour que le caractère d'un être humain dévoile des qualités vraiment exceptionnelles, il faut avoir la bonne fortune de pouvoir observer son action pendant de longues années. Si cette action est dépouillée de tout égoïsme, si l'idée qui la dirige est d'une générosité sans exemple, s'il est absolument certain qu'elle n'a cherché de récompense nulle part et qu'au surplus elle ait laissé sur le monde des marques visibles, on est alors, sans risque d'erreurs, devant un caractère inoubliable.

Il y a environ une quarantaine d'années, je faisais une longue course à pied, sur des hauteurs absolument inconnues des touristes, dans cette très vieille région des Alpes qui pénètre en Provence.

Cette région est délimitée au sud-est et au sud par le cours moyen de la Durance, entre Sisteron et Mirabeau ; au nord par le cours supérieur de la Drôme, depuis sa source jusqu'à Die ; à l'ouest par les plaines du Comtat Venaissin et les contreforts du mont Ventoux. Elle comprend toute la partie nord du département des Basses-Alpes, le sud de la Drôme et une petite enclave du Vaucluse.

C'était, au moment où j'entrepris ma longue promenade dans ces déserts, des landes nues et monotones, vers 1 200 à 1 300 mètres d'altitude. Il n'y poussait que des lavandes sauvages.

Je traversais ce pays dans sa plus grande largeur et, après trois jours de marche, je me trouvais dans une désolation sans exemple. Je campais à côté d'un squelette de village abandonné. Je n'avais plus d'eau depuis la veille et il me fallait en trouver. Ces maisons agglomérées, quoique en ruine, comme un vieux nid de guêpes, me firent penser qu'il avait dû y avoir là, dans le temps, une fontaine ou un puits. Il y avait bien une fontaine, mais sèche. Les cinq à six maisons, sans toiture, rongées de vent et de pluie, la petite chapelle au clocher écroulé, étaient rangées comme le sont les maisons et les chapelles dans les villages vivants, mais toute vie avait disparu.

C'était un beau jour de juin avec grand soleil, mais, sur ces terres sans abri et hautes dans le ciel, le vent soufflait avec une brutalité insupportable.

Ses grondements dans les carcasses des maisons étaient ceux d'un fauve dérangé dans son repas.

Il me fallut lever le camp. À cinq heures de marche de là, je n'avais toujours pas trouvé d'eau et rien ne pouvait me donner l'espoir d'en trouver. C'était partout la même sécheresse, les mêmes herbes ligneuses. Il me sembla apercevoir dans le lointain une petite silhouette noire, debout. Je la pris pour le tronc d'un arbre solitaire. À tout hasard, je me dirigeai vers elle. C'était un berger. Une trentaine de moutons couchés sur la terre brûlante se reposaient près de lui.

Il me fit boire à sa gourde et, un peu plus tard, il me conduisit à sa bergerie, dans une ondulation du plateau. Il tirait son eau, excellente, d'un trou naturel, très profond, au-dessus duquel il avait installé un treuil rudimentaire.

Cet homme parlait peu. C'est le fait des solitaires, mais on le sentait sûr de lui et confiant dans cette assurance. C'était insolite dans ce pays dépouillé de tout. Il n'habitait pas une cabane mais une vraie maison en pierre où l'on voyait très bien comment son travail personnel avait rapiécé la ruine qu'il avait trouvée là à son arrivée. Son toit était solide et étanche. Le vent qui le frappait faisait sur les tuiles le bruit de la mer sur les plages. Son ménage était en ordre, sa vaisselle lavée, son parquet balayé, son fusil graissé ; sa soupe bouillait sur le feu. Je remarquai alors qu'il était aussi rasé de frais, que tous ses boutons étaient solidement cousus, que ses vêtements étaient reprisés avec le soin minutieux qui rend les reprises invisibles.

Il me fit partager sa soupe et, comme après je lui offrais ma blague à tabac, il me dit qu'il ne fumait pas. Son chien, silencieux comme lui, était bienveillant sans bassesse.

Il avait été entendu tout de suite que je passerais la nuit là ; le village le plus proche étant encore à plus d'une journée et demie de marche. Et, au surplus, je connaissais parfaitement le caractère des rares villages de cette région. Il y en a quatre ou cinq dispersés loin les uns des autres sur les flancs de ces hauteurs, dans les taillis de chênes blancs à la toute extrémité des routes carrossables.

Ils sont habités par des bûcherons qui font du charbon de bois. Ce sont des endroits où l'on vit mal. Les familles, serrées les unes contre les autres dans ce climat qui est d'une rudesse excessive, aussi bien l'été que l'hiver, exaspèrent leur égoïsme en vase clos.

L'ambition irraisonnée s'y démesure, dans le désir continu de s'échapper de cet endroit.

Les hommes vont porter leur charbon à la ville avec leurs camions, puis retournent. Les plus solides qualités craquent sous cette perpétuelle douche écossaise. Les femmes mijotent des rancœurs. Il y a concurrence sur tout, aussi bien pour la vente du charbon que pour le banc à l'église, pour les vertus qui se combattent entre elles, pour les vices qui se combattent entre eux et pour la mêlée générale des vices et des vertus, sans repos. Par là-dessus, le vent également sans repos irrite les nerfs. Il y a des épidémies de suicides et de nombreux cas de folies, presque toujours meurtrières. Le berger qui ne fumait pas alla chercher un petit sac et déversa sur la table un tas de glands. Il se mit à les examiner l'un après l'autre avec beaucoup d'attention, séparant les bons des mauvais. Je fumais ma pipe. Je me proposai pour l'aider. Il me dit que c'était son affaire. En effet : voyant le soin qu'il mettait à ce travail, je n'insistai pas. Ce fut toute notre conversation. Quand il eut du côté des bons un tas de glands assez gros, il les compta par paquets de dix. Ce faisant, il éliminait encore les petits fruits ou ceux qui étaient légèrement fendillés, car il les examinait de fort près. Quand il eut ainsi devant lui cent glands parfaits, il s'arrêta et nous allâmes nous coucher.

La société de cet homme donnait la paix. Je lui demandai le lendemain la permission de me reposer tout le jour chez lui. Il le trouva tout naturel, ou, plus exactement, il me donna l'impression que rien ne pouvait le déranger. Ce repos ne m'était pas absolument obligatoire, mais j'étais intrigué et je voulais en savoir plus. Il fit sortir son troupeau et il le mena à la pâture. Avant de partir, il trempa dans un seau d'eau le petit sac où il avait mis les glands soigneusement choisis et comptés. Je remarquai qu'en guise de bâton, il emportait une tringle de fer grosse comme le pouce et longue d'environ un mètre cinquante. Je fis celui qui se promène en se reposant et je suivis une route parallèle à la sienne. La pâture de ses bêtes était dans un fond de combe. Il laissa le petit troupeau à la garde du chien et il monta vers l'endroit où je me tenais. J'eus peur qu'il vînt pour me reprocher mon indiscrétion mais pas du tout, c'était sa route et il m'invita à l'accompagner si je n'avais rien de mieux à faire. Il allait à deux cents mètres de là, sur la hauteur.

Arrivé à l'endroit où il désirait aller, il se mit à planter sa tringle de fer dans la terre. Il faisait ainsi un trou dans lequel il mettait un gland, puis il rebouchait le trou. Il plantait des chênes. Je lui demandai si la terre lui appartenait. Il me répondit que non. Savait-il à qui elle était ? Il ne savait

pas. Il supposait que c'était une terre communale, ou peut-être, était-elle la propriété de gens qui ne s'en souciaient pas ? Lui ne se souciait pas de connaître les propriétaires. Il planta ainsi ses cent glands avec un soin extrême. Après le repas de midi, il recommença à trier sa semence. Je mis, je crois, assez d'insistance dans mes questions puisqu'il y répondit. Depuis trois ans il plantait des arbres dans cette solitude. Il en avait planté cent mille. Sur les cent mille, vingt mille étaient sortis. Sur ces vingt mille, il comptait encore en perdre la moitié, du fait des rongeurs ou de tout ce qu'il y a d'impossible à prévoir dans les desseins de la Providence. Restaient dix mille chênes qui allaient pousser dans cet endroit où il n'y avait rien auparavant.

C'est à ce moment-là que je me souciai de l'âge de cet homme.

Il avait visiblement plus de cinquante ans. Cinquante-cinq, me dit-il.

Il s'appelait Elzéard Bouffier. Il avait possédé une ferme dans les plaines.

Il y avait réalisé sa vie.

Il avait perdu son fils unique, puis sa femme. Il s'était retiré dans la solitude où il prenait plaisir à vivre lentement, avec ses brebis et son chien. Il avait jugé que ce pays mourait par manque d'arbres. Il ajouta que, n'ayant pas d'occupations très importantes, il avait résolu de remédier à cet état de choses.

Menant moi-même à ce moment-là, malgré mon jeune âge, une vie solitaire, je savais toucher avec délicatesse aux âmes des solitaires. Cependant, je commis une faute. Mon jeune âge, précisément, me forçait à imaginer l'avenir en fonction de moi-même et d'une certaine recherche du bonheur. Je lui dis que, dans trente ans, ces dix mille chênes seraient magnifiques. Il me répondit très simplement que, si Dieu lui prêtait vie, dans trente ans, il en aurait planté tellement d'autres que ces dix mille seraient comme une goutte d'eau dans la mer.

Il étudiait déjà, d'ailleurs, la reproduction des hêtres et il avait près de sa maison une pépinière issue des faines. Les sujets qu'il avait protégés de ses moutons par une barrière en grillage étaient de toute beauté. Il pensait également à des bouleaux pour les fonds où, me dit-il, une certaine humidité dormait à quelques mètres de la surface du sol. Nous nous séparâmes le lendemain.

L'année d'après, il y eut la guerre de 14 dans laquelle je fus engagé
pendant cinq ans. Un soldat d'infanterie ne pouvait guère y réfléchir
à des arbres. À dire le vrai, la chose même n'avait pas marqué en moi ;
je l'avais considérée comme un dada, une collection de timbres,
et oubliée.

Sorti de la guerre, je me trouvai à la tête d'une prime de démobilisation
minuscule mais avec le grand désir de respirer un peu d'air pur.

C'est sans idée préconçue, sauf celle-là,
que je repris le chemin de ces contrées
désertes.

Le pays n'avait pas changé. Toutefois,
au-delà du village mort, j'aperçus dans
le lointain une sorte de brouillard gris
qui recouvrait les hauteurs comme un
tapis. Depuis la veille, je m'étais remis
à penser à ce berger planteur d'arbres.
« Dix mille chênes, me disais-je,
occupent vraiment un très large
espace. »

J'avais vu mourir trop de monde
pendant cinq ans pour ne pas imaginer
facilement la mort d'Elzéard Bouffier, d'autant que, lorsqu'on en a vingt,
on considère les hommes de cinquante comme des vieillards à qui il ne reste
plus qu'à mourir. Il n'était pas mort. Il était même fort vert. Il avait changé
de métier. Il ne possédait plus que quatre brebis mais, par contre, une
centaine de ruches. Il s'était débarrassé des moutons qui mettaient en péril
ses plantations d'arbres. Car, me dit-il (et je le constatais), il ne s'était pas
du tout soucié de la guerre. Il avait imperturbablement continué à planter.
Les chênes de 1910 avaient alors dix ans et étaient plus hauts que moi
et que lui. Le spectacle était impressionnant. J'étais littéralement privé de
paroles et, comme lui ne parlait pas, nous passâmes tout le jour en silence
à nous promener dans sa forêt. Elle avait, en trois tronçons, onze kilomètres
dans sa plus grande largeur. Quand on se souvenait que tout était sorti des
mains et de l'âme de cet homme, sans moyens techniques, on comprenait
que les hommes pourraient être aussi efficaces que Dieu dans d'autres
domaines que la destruction.

Il avait suivi son idée, et les hêtres qui m'arrivaient aux épaules, répandus
à perte de vue, en témoignaient. Les chênes étaient drus et avaient dépassé
l'âge où ils étaient à la merci des rongeurs ; quant aux desseins de la
Providence elle-même pour détruire l'œuvre créée, il lui faudrait avoir
désormais recours aux cyclones. Il me montra d'admirables bosquets de
bouleaux qui dataient de cinq ans, c'est-à-dire de 1915, de l'époque où

je combattais à Verdun. Il leur avait fait
occuper tous les fonds où il soupçonnait,
avec juste raison, qu'il y avait de l'humidité
presque à fleur de terre. Ils étaient tendres
comme des adolescents et très décidés.
La création avait l'air, d'ailleurs, de
s'opérer en chaînes. Il ne s'en souciait pas ;
il poursuivait obstinément sa tâche, très
simple. Mais en redescendant par le village,
je vis couler de l'eau dans des ruisseaux qui, de
mémoire d'homme, avaient toujours été
à sec. C'était la plus formidable opération
de réaction qu'il m'ait été donné de voir.

Ces ruisseaux secs avaient jadis porté de l'eau, dans des temps très anciens.
Certains de ces villages tristes dont j'ai parlé au début de mon récit s'étaient
construits sur les emplacements d'anciens villages gallo-romains dont
il restait encore des traces, dans lesquelles les archéologues avaient fouillé
et ils avaient trouvé des hameçons à des endroits où au vingtième siècle,
on était obligé d'avoir recours à des citernes pour avoir un peu d'eau.
Le vent aussi dispersait certaines graines. En même temps que l'eau
réapparut réapparaissaient les saules, les osiers,
les prés, les jardins, les fleurs et une
certaine raison de vivre.
Mais la transformation s'opérait si
lentement qu'elle entrait dans l'habitude
sans provoquer d'étonnement.
Les chasseurs qui montaient dans
les solitudes à la poursuite des lièvres ou
des sangliers avaient bien constaté le foisonnement des petits arbres mais
ils l'avaient mis sur le compte des malices naturelles de la terre. C'est
pourquoi personne ne touchait à l'œuvre de cet homme. Si on l'avait
soupçonné, on l'aurait contrarié. Il était insoupçonnable. Qui aurait pu
imaginer, dans les villages et dans les administrations, une telle obstination
dans la générosité la plus magnifique ?

À partir de 1920, je ne suis jamais resté plus d'un an sans rendre visite
à Elzéard Bouffier. Je ne l'ai jamais vu fléchir ni douter. Et pourtant, Dieu
sait si Dieu même y pousse ! Je n'ai pas fait le compte de ses déboires.
On imagine bien cependant que, pour une réussite semblable, il a fallu
vaincre l'adversité ; que, pour assurer la victoire d'une telle passion, il a fallu
lutter avec le désespoir. Il avait, pendant un an, planté plus de dix mille
érables. Ils moururent tous. L'an d'après, il abandonna les érables pour

reprendre les hêtres qui réussirent encore mieux que les chênes.

Pour avoir une idée à peu près exacte de ce caractère exceptionnel, il ne faut pas oublier qu'il s'exerçait dans une solitude totale ; si totale que, vers la fin de sa vie, il avait perdu l'habitude de parler. Ou, peut-être, n'en voyait-il pas la nécessité ?

En 1933, il reçut la visite d'un garde forestier éberlué. Ce fonctionnaire lui intima l'ordre de ne pas faire de feux dehors, de peur de mettre en danger la croissance de cette *forêt naturelle*.

C'était la première fois, lui dit cet homme naïf, qu'on voyait une forêt pousser toute seule. À cette époque, il allait planter des hêtres à douze kilomètres de sa maison. Pour s'éviter le trajet d'aller-retour, car il avait alors soixante-quinze ans, il envisageait de construire une cabane de pierre sur les lieux mêmes de ses plantations.

Ce qu'il fit l'année d'après.

En 1935, une véritable délégation administrative vint examiner la *forêt naturelle*. Il y avait un grand personnage des Eaux et Forêts, un député, des techniciens.

On prononça beaucoup de paroles inutiles. On décida de faire quelque chose et, heureusement, on ne fit rien, sinon la seule chose utile : mettre la forêt sous la sauvegarde de l'État et interdire qu'on vienne y charbonner. Car il était impossible de n'être pas subjugué par la beauté de ces jeunes arbres en pleine santé. Et elle exerça son pouvoir de séduction sur le député lui-même.

J'avais un ami parmi les capitaines forestiers qui était de la délégation. Je lui expliquai le mystère. Un jour de la semaine d'après, nous allâmes tous les deux à la recherche d'Elzéard Bouffier. Nous le trouvâmes en plein travail, à vingt kilomètres de l'endroit où avait eu lieu l'inspection.

Ce capitaine forestier n'était pas mon ami pour rien. Il connaissait la valeur des choses. Il sut rester silencieux. J'offris les quelques œufs que j'avais apportés en présent. Nous partageâmes notre casse-croûte en trois et quelques heures passèrent dans la contemplation muette du paysage. Le côté d'où nous venions était couvert d'arbres de six à sept mètres de haut. Je me souvenais de l'aspect du pays en 1913, le désert… Le travail paisible et régulier, l'air vif des hauteurs, la frugalité et surtout la sérénité de l'âme avaient donné à ce vieillard une santé presque solennelle. C'était un athlète de Dieu. Je me demandais combien d'hectares il allait encore couvrir d'arbres.

Avant de partir, mon ami fit simplement une brève suggestion à propos de certaines essences auxquelles le terrain d'ici paraissait devoir convenir. Il n'insista pas.

– Pour la bonne raison, me dit-il après, que ce bonhomme en sait plus que moi.

Au bout d'une heure de marche, l'idée ayant fait son chemin en lui, il ajouta :

– Il en sait beaucoup plus que tout le monde. Il a trouvé un fameux moyen d'être heureux ! C'est grâce à ce capitaine que non seulement la forêt mais le bonheur de cet homme furent protégés. Il fit nommer trois gardes forestiers pour cette protection et il les terrorisa de telle façon qu'ils restèrent insensibles à tous les pots-de-vin que les bûcherons pouvaient proposer. L'œuvre ne courut un risque grave que pendant la guerre de 1939. Les automobiles marchant alors au gazogène, on n'avait jamais assez de bois. On commença à faire des coupes dans les chênes de 1910, mais ces quartiers sont si loin de tous réseaux routiers que l'entreprise se révéla très mauvaise au point de vue financier. On l'abandonna. Le berger n'avait rien vu. Il était à trente kilomètres de là, continuant paisiblement sa besogne, ignorant la guerre de 39 comme il avait ignoré la guerre de 14.

J'ai vu Elzéard Bouffier pour la dernière fois en juin 1945. Il avait alors quatre-vingt-sept ans. J'avais donc repris la route du désert, mais maintenant, malgré le délabrement dans lequel la guerre avait laissé le pays, il y avait un car qui faisait le service entre la vallée de la Durance et la montagne. Je mis sur le compte de ce moyen de transport relativement rapide le fait que je ne reconnaissais plus les lieux de mes premières promenades. Il me semblait aussi que l'itinéraire me faisait passer par des endroits nouveaux. J'eus besoin d'un nom de village pour conclure que j'étais bien cependant dans cette région jadis en ruine et désolée. Le car me débarqua à Vergons.

En 1913, ce hameau de dix à douze maisons avait trois habitants. Ils étaient sauvages, se détestaient, vivaient de chasse au piège ; à peu près dans l'état physique et moral des hommes de la préhistoire. Les orties dévoraient autour d'eux les maisons abandonnées. Leur condition était sans espoir. Il ne s'agissait pour eux que d'attendre la mort : situation qui ne prédispose guère aux vertus. Tout était changé. L'air lui-même. Au lieu des bourrasques sèches et brutales qui m'accueillaient jadis, soufflait une brise souple chargée d'odeurs. Un bruit semblable à celui de l'eau venait des hauteurs : c'était celui du vent dans les forêts.

Enfin, chose plus étonnante, j'entendis le vrai bruit de l'eau coulant dans un bassin. Je vis qu'on avait fait une fontaine, qu'elle était abondante et, ce qui me toucha le plus, on avait planté près d'elle un tilleul qui pouvait déjà avoir dans les quatre ans, déjà gras, symbole incontestable d'une résurrection.

Par ailleurs, Vergons portait les traces d'un travail pour l'entreprise duquel l'espoir est nécessaire. L'espoir était donc revenu. On avait déblayé les ruines, abattu les pans de murs délabrés et reconstruit cinq maisons. Le hameau comptait désormais vingt-huit habitants dont quatre jeunes ménages. Les maisons neuves, crépies de frais, étaient entourées de jardins potagers où poussaient, mélangés mais alignés, les légumes et les fleurs, les choux et les rosiers, les poireaux et les gueules-de-loup, les céleris et les anémones.

C'était désormais un endroit où l'on avait envie d'habiter.

À partir de là, je fis mon chemin à pied. La guerre dont nous sortions à peine n'avait pas permis l'épanouissement complet de la vie, mais Lazare était hors du tombeau. Sur les flancs abaissés de la montagne, je voyais de petits champs d'orge et de seigle en herbe ; au fond des étroites vallées, quelques prairies verdissaient.

Il n'a fallu que les huit ans qui nous séparent de cette époque pour que tout le pays resplendisse de santé et d'aisance. Sur l'emplacement des ruines que j'avais vues en 1913, s'élèvent maintenant des fermes propres, bien crépies, qui dénotent une vie heureuse et confortable.

Les vieilles sources, alimentées par les pluies et les neiges que retiennent les forêts, se sont remises à couler. On en a canalisé les eaux. À côté de chaque ferme, dans des bosquets d'érables, les bassins des fontaines débordent sur des tapis de menthe fraîche. Les villages se sont reconstruits peu à peu. Une population venue des plaines où la terre se vend cher s'est fixée dans le pays, y apportant de la jeunesse, du mouvement, de l'esprit d'aventure. On rencontre dans les chemins des hommes et des femmes bien nourris, des garçons et des filles qui savent rire et ont repris goût aux fêtes campagnardes. Si on compte l'ancienne population, méconnaissable depuis qu'elle vit avec douceur et les nouveaux venus, plus de dix mille personnes

doivent leur bonheur à Elzéard Bouffier.

Quand je réfléchis qu'un homme seul, réduit à ses simples ressources physiques et morales, a suffi pour faire surgir du désert ce pays de Canaan, je trouve que, malgré tout, la condition humaine est admirable. Mais, quand je fais le compte de tout ce qu'il a fallu de constance dans la grandeur d'âme et d'acharnement dans la générosité pour obtenir ce résultat, je suis pris d'un immense respect pour ce vieux paysan sans culture qui a su mener à bien cette œuvre digne de Dieu.

Elzéard Bouffier est mort paisiblement en 1947 à l'hospice de Banon.

L'AUTRUCHE

Jacques Prévert . Elsa Henriquez

Lorsque le Petit Poucet abandonné dans
la forêt sema des cailloux pour retrouver son chemin, il ne se doutait
pas qu'une autruche le suivait et dévorait
les cailloux un à un.
C'est la vraie histoire celle-là, c'est
comme ça que c'est arrivé…
Le fils Poucet se retourne :
plus de cailloux !
Il est définitivement perdu,
plus de cailloux, plus de retour ;
plus de retour, plus de maison,
plus de papa-maman.
« C'est désolant », se dit-il
entre ses dents.
Soudain il entend rire et puis
le bruit des cloches et
le bruit d'un torrent,
des trompettes, un véritable
orchestre, un orage de bruits,
une musique brutale, étrange
mais pas du tout désagréable
et tout à fait nouvelle pour lui.
Il passe alors la tête à travers
le feuillage et voit l'autruche
qui danse, qui le regarde, s'arrête
de danser et lui dit :
L'autruche : C'est moi qui fais ce bruit, je
suis heureuse, j'ai un estomac magnifique,
je peux manger n'importe quoi. Ce matin, j'ai

mangé deux cloches avec leur battant, j'ai mangé deux trompettes, trois douzaines de coquetiers, j'ai mangé une salade avec son saladier, et les cailloux blancs que tu semais, eux aussi, je les ai mangés. Monte sur mon dos, je vais très vite, nous allons voyager ensemble.

– Mais, dit le fils Poucet, mon père et ma mère je ne les verrai plus ?

L'autruche : S'ils t'ont abandonné, c'est qu'ils n'ont pas envie de te revoir de sitôt.

Le Petit Poucet : Il y a sûrement du vrai dans ce que vous dites, Madame l'Autruche.

L'autruche : Ne m'appelle pas Madame, ça me fait mal aux ailes, appelle-moi Autruche tout court.

Le Petit Poucet : Oui, Autruche, mais tout de même, ma mère, n'est-ce pas !

L'autruche (en colère) : N'est-ce pas quoi ? Tu m'agaces à la fin et puis, veux-tu que je te dise, je n'aime pas beaucoup ta mère, à cause de cette manie qu'elle a de mettre toujours des plumes d'autruche sur son chapeau…

Le fils Poucet : Le fait est que ça coûte cher… mais elle fait toujours des dépenses pour éblouir les voisins.

L'autruche : Au lieu d'éblouir les voisins, elle aurait mieux fait de s'occuper de toi, elle te giflait quelquefois.

Le fils Poucet : Mon père aussi me battait.

L'autruche : Ah, Monsieur Poucet te battait, c'est inadmissible. Les enfants ne battent pas leurs parents, pourquoi les parents battraient-ils leurs enfants ? D'ailleurs Monsieur Poucet n'est pas très malin non plus, la première fois qu'il a vu un œuf d'autruche, sais-tu ce qu'il a dit ?

Le fils Poucet : Non.

L'autruche : Eh bien, il a dit : « Ça ferait une belle omelette ! »

Le fils Poucet (rêveur) : Je me souviens, la première fois qu'il a vu la mer, il a réfléchi quelques secondes et puis il a dit : « Quelle grande cuvette, dommage qu'il n'y ait pas de ponts. » Tout le monde a ri mais moi j'avais envie de pleurer, alors ma mère m'a tiré les oreilles et m'a dit : « Tu ne peux pas rire comme les autres quand ton père plaisante ! » Ce n'est pas ma faute, mais je n'aime pas les plaisanteries des grandes personnes…

L'autruche : … Moi non plus, grimpe sur mon dos, tu ne reverras plus tes parents, mais tu verras du pays.

– Ça va, dit le Petit Poucet et il grimpe.

Au grand triple galop l'oiseau et l'enfant démarrent et c'est un très gros nuage de poussière.

Sur le pas de leur porte, les paysans hochent la tête et disent :

– Encore une de ces sales automobiles !

Mais les paysannes entendent l'autruche qui carillonne en galopant :

– Vous entendez les cloches, disent-elles en se signant, c'est une église qui se sauve, le diable sûrement court après.

Et tous de se barricader jusqu'au lendemain matin, mais le lendemain l'autruche et l'enfant sont loin.

(Extrait de *Contes pour enfants pas sages*)

INDEX
DES AUTEURS,
ILLUSTRATEURS
ET TITRES

CRÉDITS

Merci aux auteurs et illustrateurs qui ont eu l'obligeance de nous accorder l'autorisation de reproduire leur œuvre dans cette anthologie. Leur confiance nous honore et leur participation nous est précieuse.

la traduction française
Pierrot ou les secrets de la nuit de Michel Tournier, illustré par Danièle Bour © Éditions Gallimard 1979, pour le texte © Gallimard Jeunesse 1980, pour les illustrations
La princesse Finemouche de Babette Cole. Publié par Hamish Hamilton, Londres. Titre original : *Princess Smartypants* © Babette Cole 1986, pour le texte et les illustrations © Éditions du Seuil 1986, pour la traduction française. Traduction de Marie-France de Paloméra
La Reine BisouBisou d'Alex Sanders © Gallimard Jeunesse 1997, pour le texte et les illustrations
Si la lune pouvait parler de Kate Banks, illustré par Georg Hallensleben © Gallimard Jeunesse 1997, pour le texte et les illustrations. Traduction d'Anne Krief
« Une souris verte », *Premier livre des chansons de France* de Pierre Chaumeil, illustré par Claudine et Roland Sabatier © Gallimard Jeunesse 1984, pour le texte et les illustrations
« Le tailleur et le mandarin », *365 contes de la tête aux pieds* de Muriel Bloch, illustré par Mireille

Vautier © Gallimard Jeunesse 2000, pour l'anthologie et les illustrations. Extrait de *Légendes des terres sereines* de Pham Duy Khiêm © Mercure de France 1951
Tigrou de Charlotte Voake. Publié par Walker Books Ltd., Londres. Titre original : *Ginger* © Charlotte Voake 1997, pour le texte et les illustrations © Gallimard Jeunesse 1997, pour la traduction française. Traduction de Virginia López-Ballesteros
Tout à coup ! de Colin McNaughton. Publié par Andersen Press Ltd., Londres. Titre original : *Suddenly !* © Colin McNaughton 1994, pour le texte et les illustrations © Gallimard Jeunesse 1994, pour la traduction française. Traduction de Marie Saint-Dizier
La véritable histoire des trois petits cochons d'Erik Blegvad. Publié par Atheneum Books for Young Readers, Simon and Schuster Children's Publishing Division, New York. Titre original : *The Three Little Pigs* © Erik Blegvad 1980, pour les illustrations © Fernand Nathan 1926, pour la traduction française. Traduction d'Élisée Escande

Malgré tous nos efforts, des erreurs ou des omissions ont pu se glisser dans ces crédits. Nous prions les éditeurs, auteurs, illustrateurs et leurs ayants droit de bien vouloir nous en excuser.

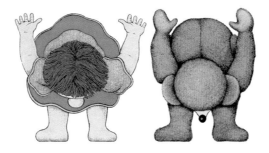